文春文庫

不機嫌な果実

林 真理子

文藝春秋

目次

不機嫌な果実

第一章　装い

水越麻也子《まやこ》はあれこれとスカーフを選んでいる。

買ったばかりの臙脂《えんじ》のジャケットには、黒いペイズリー模様が似合うような気がしたが、こうして巻いてみるとどうも重たげだ。白いエルメス柄と合わせてみたがしっくりとこない。いっそのこと何もつけないことにした。とたんに麻也子の喉はむき出しになる。その方がずっとよかった。濃い色の服の衿《えり》からのぞく肌は自分でも美しいと思う。

三十二歳という年齢を迎えたばかりの、首すじから胸元にかけての皮膚は、脂肪がほどよくのっていて、洗面所の蛍光灯の下で薄黄色に輝いている。肌理《きめ》の細かさときたら、気恥ずかしくなるほどだ。

このあいだから使っているネック・トリートメントが効果を上げているのだと、麻也子はうっすらと微笑む。娘時代から麻也子は化粧品に目がない。かなり無理をしても新製品というものは買ってみることにしているが、このクリームは確かに効いた。

「絶対に使ってみるべきよ。そこらのエステに行くよりはずっといいわよ」

いつもこうした情報を教えてくれる女友だちに、後で礼を言わなくてはいけないだろう。ついでに自分の方から電話をして、二、三人の友人にも教えてやるつもりだ。

彼女たちともよく話すことであるが、三十を過ぎてからの方が、はるかに肌や髪の手入れに張り合いが出てきた。二十代の頃はどれほど高価な化粧品を使っても、若い肌が無軌道に吸い込んでいくという感じであったが、今は違う。金と手間をかけた分だけ、肌は持ち主の愛情に応えてくれる。ジャケットに合わせた流行の色の口紅もうまくのって、麻也子は鼻歌でも口ずさみたいような気分だ。

「早くしてくれよ」

洗面所のドアを開けて、夫の航一が顔を出した。

「髭を剃ろうと思ってるのにさあ……」

日曜日のこととて、航一は綿のシャツにカーディガンを羽織っている。朝、不精をして剃らなかった髭は、今はっきりとわかるほど濃くなっていて、彼の顔を間延びしたものにしている。誰かが「歌舞伎顔」と呼んだ航一の顔は品よく整っているだけに、ちょっと手をゆるめたとたん、ひどくだらしないものになるのだ。

「待ってよ、もうちょっとで終わるから」

「早くしてくれよ。お袋には七時には行くからって言ってあるんだから」

毎週土曜日か日曜日の夜、航一は車を走らせて駒沢公園の実家へ行く。母親の綾子がひとり息子のために、あれこれ心づくしの料理を並べて待っているその夕食の席が、麻也子は苦手である。だから理由をつけては、航一ひとりで行かせるようにしているのだ。

「もうさ、君が洗面所に入ると、やたら長いから嫌になるよ」

待ちきれず航一は中に入って、麻也子の後ろに立った。シェイバーに手を伸ばす。

「今日、どうしても駄目なのか。お袋さ、貰いもんの松茸があるから、松茸ごはんにするって張り切ってたぜ。麻也子さん、来ないのかしらって残念がってる」

顔を剃るために顎を上下に動かしながら発音するので、奇妙にくぐもった声になった。だが、彼がそのことに大して執着していないのはすぐにわかる。麻也子の、

「だって約束があるんだもん」

という言葉にあっさりと引き下がるからだ。綾子にしても気の合わぬ嫁と一緒に夕食をとるよりも、自分の息子とだけでぬくぬくと楽しくテーブルを囲みたいのはわかっている。息子の好物を並べ、うるさがられながらも、あれこれ取りわけてやる姑《しゅうとめ》の姿が目に見えるようで、麻也子はつい意地悪気なことを言いたくなる。

「お姑《かあ》さまは、あなただけ行った方がずっと喜ぶのよ。そのこと、あなただって知っているはずじゃないの」

航一は不意を衝《つ》かれたように、唇を正常の位置に戻した。が、シェイバーはつけたままなので、そのモーター音の中彼はつぶやく。

「そんなことはないってば。麻也子さんはどうして来ないのっていつも言ってるぜ。お袋も淋しがっているんだから、たまには行ってくれよ」

ふんと麻也子は小さく唇をとがらせた。実の親子ならともかく、嫁が顔を出さないからといって、姑がしんから淋しがっているわけがないではないか。もし麻也子が今日の夕食に出かけたとしても、雰囲気はぎくしゃくしたものになるに違いなかった。

かつては商社の常務夫人として、海外経験もある綾子は、決して馬鹿な女ではない。それなりに教養も分別もあるのだが、こういう姑ほど始末に困るというのは、麻也子も友人も一致した意見だ。一応こちらを理解した振りをしながら、それでもねと、鋭いあてこすりを口にする。

——麻也子さんももう三十二歳、決して若いとはいえないわ。それなのにどうして子どもをつくらないの。子どもをちゃんと教育するには、若くて体力があるうちがいいのよ。ねえ、悪いことは言わないから、そろそろちゃんと家庭をつくることを考えなさいよ。今のままだったら、航一だって可哀相じゃないの——

子どもをつくらない理由はあなたにあるのよと、自分がずばり口にしたら、姑はどれほどうろたえるだろうかと、麻也子は時々楽しく考えることがある。結婚直後の慌《あわただ》しさの中、子どもが出来たら二世帯同居にするのだという計画が、いつのまにか出来上がっていた。それも仕方ないかというぼんやりとした諦めが、三年、四年たつうちに、麻也子の中ではっきりとした反発に変わっている。

航一と恋愛中は、いかにも良家の主婦らしく、品よくやさしく見えた綾子であるが、とうてい一緒に暮らせる人間ではないとわかってきたからである。

今では「あの姑ならば」と、麻也子の母親もその意見に同意してくれているのだ。あと一年か二年の我慢だと、麻也子は密《ひそ》かに目論んでいる。現在シアトルに住んでいる航一の姉一家が、その頃には帰国するはずなのだ。男と女という年子の孫に綾子は目がない。一人でもしょっちゅうアメリカへ旅立っているほどだ。

航一の姉が帰ってきた時点で、綾子は娘の方と同居すると言い出すかもしれぬ。そうでなくとも、孫にかまけて、今のようにうるさく自分たち夫婦を構わなくなるはずである。

ちょっと注意をそらしてやりさえすれば、姑の扱いはぐっと楽になるはずだと、密かに思っている麻也子のこの狡猾《こうかつ》さは特別のものではない。

姑と一緒に暮らさなくてはならないからと言って、子づくりを延期している女は、麻也子の同級生の中でもかなりの数にのぼる。先に結婚した友人たちの何割かが、姑との軋轢《あつれき》で離婚している現実を目にしているからだ。

麻也子の卒業したカソリック系の女子大は、偏差値がそう高くならなかったため、同じ種類の名門女子大に入りそこねた少女たちが入学し、かえってお嬢さまらしさを保っているという評判を持つ。そう大した上流や金持ちの娘はいないが、下からエスカレーター式に上がってきた学生は、たいてい中級以上の東京のサラリーマンの娘だ。だから結束はおそろしく固い。こうした不幸に対する情報は、あっという間にネットワークで伝わるのだ。もちろん半数以上の同級生たちは、不満を持ちながらもおだやかな結婚生活をおくり、ひとりかふたりの子どもの母親である。「お入学」の真最中の女たちも多く、それこそまなじりを決して子どもを有名校に入れようと奔走しているが、麻也子にとってそんな姿は羨ましくもない。手にいれようとすれば、すぐつかむことが出来る幸福である。

それならばどんな幸福を望んでいるのかと問われると、麻也子は困ってしまうのであるが、とりあえずこの気持ちよい秋の夜に、他の男に会いに行く自由と機会が自分に与えられていることは確かだ。それ以上のものはおいおいと考えていくつもりの麻也子の、首から胸にかけての皮膚はとにかく若く美しい。

「なんだか君って、お袋のことを誤解していると思うなあ」

体勢を取り戻した航一は、再び大きく曲げた顎を剃り始める。そのかたちだと、三十四歳の彼の肌には深い皺が寄る。

「あのさ、お袋はさ、僕たち夫婦が仲よくごはん食べに来てくれるのが本当に嬉しいんだから。もっと気軽に行ってよ」

「無理よ。友だちと約束してるんだもの。皆、働いてるから、日曜日の夜じゃないと会えないんだもん」

嘘をつくことに後ろめたさはない。なぜなら他の男とデートをするからといっても、彼とは肉体関係がいっさいないからである。


今のところ、麻也子は不倫というものをしたことがなかった。友人たちの中には、ホテルに行くような恋人がいることを堂々と口にする女もいるのであるが、麻也子はどうも賛同しかねている。道徳や貞操観念などというものとは違う、ためらいが麻也子の中にはあるのだ。古い世代の夫のように、航一は妻の行動についてあれこれ言わなかったから、麻也子は今でも男友だちが多い。航一とも顔見知りの学生時代からの仲間や、仕事先の男性と酒を飲むこともあるし、夜っぴてカラオケに興じることもしょっちゅうだ。が、彼らはあきらかに麻也子の人妻という立場に臆病になっている。それとなくほのめかす者もいるにはいたが、彼らは若い男独得の狡《ずる》さで、最後の決定権は麻也子にゆだねようとする。つまり強引に口説いてこないのだ。

結婚している女とそういうことをしようとするならば、荒々しく一歩踏み出してくるのが当然ではないか。それなのに相手の男は、安全圏の中にいて、麻也子がこちらに歩み寄るかどうか様子をうかがっている。こんな損なことはないと麻也子は思う。もし誰かが激しく強く自分のことを乞い、劇的なりゆきを約束してくれるならば、自分も応じないこともないかもしれないではないか。それなのに、麻也子のまわりの男たちは勇気がない。勇気がない者たちを鼓舞するほど、麻也子は暇ではなかったし、プライドというものがある。だいいち、それほどまでして関係を持とうと思う男などひとりもいないのだ。

その中にあって、今夜会う男、南田典雄は特異な存在といってもよい。南田はかつて麻也子に求婚したことがある男である。結局は航一の方を選んだのであるから、とうに交際を断わってもいいはずなのに、そうしないところに麻也子の意地汚なさがあった。

南田は三十六歳になる弁護士である。麻也子の同級生の中にも、弁護士と結婚して得意がっている女がいるが、南田は〝国際的な〟という形容詞をつけられるレベルの弁護士である。女たちの大好物である東大を出た後、アメリカの名門大学のロースクールに学んだ。ニューヨークの法律事務所で何年か研修を積んだ彼は、虎ノ門の一等地に事務所を構える有名弁護士の許《もと》に在籍している。

航一と結婚する一年ほど前に、

「絵に描いたような、ものすごいエリートがいるから」

と友人に紹介されたのがきっかけだ。その頃は既に航一と約束を交わしていたのであるが、麻也子は選択の幅を拡げることに何の疑問も抱かなかった。「乗り替える」などというのは嫌な表現であるが、独身の女性だったら挙式の直前まで、あれこれ見比べたり思案するのは当然のことである。

経歴や容姿ということにかけては、航一は決して悪くない相手であった。麻也子に限らず、女というのはたいていそうであるが、自分の披露宴が終わった後の、女友だちの会話を想像して、相手を決定するところがある。引き出物を片手に、ホテルのコーヒーハウスで行なわれる評定は、情け容赦もないほど辛辣である。

その点、航一は合格点が出る男であることは間違いない。が、南田だったら、皆は嫉妬のあまり、むっとおし黙ってしまうのではないか。それほどの肩書きを持つ男だ。

しかし麻也子はついに南田に「乗り替える」ことはなかった。なぜならば彼は、航一とは比べものにならぬほどの醜男《ぶおとこ》だったからである。

七年前になるから、彼はまだ三十になるかならぬかの年である。それなのに短軀《たんく》のうえに、中年じみた脂肪がのっていた。頭は禿の兆候がはっきりとあらわれていて、それを整髪料で隠そうとするから、てらりと嫌な艶《つや》を持って、髪は奇妙なかたちに固まっている。

洋服だけはさすがに高価そうなものを隙《すき》なく身につけていたが、よくある「小男のおしゃれ」の哀しさが、凝ったカフスや変わり衿に漂っている。麻也子はつくづく、こういう男と結婚できる女の才能を思った。唇の厚さや歯並びの悪さに目をつぶり、男の持っている地位や経済力だけで一生共に暮らすことが出来る。これが才能でなくて何だろう。

結局、麻也子は南田を振った、ということになるのであるが、この優越感が、彼を近づける結果となった。ひと月かふた月に一度、会って食事をするという奇妙な仲が、既に五年以上続いているのだ。

結婚してしばらくたった後、麻也子が彼に電話をしたのが再会のきっかけだった。連絡してくれて嬉しいよと南田は言ったが、この素直な口調は彼の過剰なほどの矜持《きょうじ》の裏返しだと麻也子にもすぐにわかった。南田は「振られた男」として遠くにいるよりも、気さくな友人として近くに来ることを望んだのだ。そうして彼は、傷ついた多くのものを取り戻そうとしている。今や南田は、かつて麻也子に求婚していたことなどとうに忘れたように振るまう。最近自分が関係した女のことさえあけすけに打ち明けるほどだ。

しかしたまには、麻也子の裏返した手首や、口紅がとれかかっているのではないかと人差し指で押さえた唇に、熱っぽい視線をあてることがある。麻也子にとってこれほど愉快なことはない。

——この男はまだ自分のことを好きなのだ——

こちらが何かのきっかけを与えてやれば、きっと飛びかかってくるに違いないのだが、今のところじっと耐えている男。こうした男と、月に一度内緒で食事を共にするからといって、どうして非難されることがあるだろうか。これ以上清廉潔白なことはない。ただ自分は賞賛と欲求の視線を浴びに出かけるだけなのだから。

「もうそろそろ出かけなきゃ」

麻也子は言った。

「お姑さまによろしく言ってね。今日は大切な約束で断われないのよ」

日曜日だからといって、南田が指定してきたのはホテルのレストランである。新宿西口にあるこの外資系の高層ホテルは、南田の行きつけだ。外国からの客を泊めたり、接待する時に使うのだと以前話してくれたことがある。そのせいか、ドアボーイは必ず彼に声をかける。

「南田さま、いらっしゃいませ」

これは麻也子にとって晴れがましい一瞬である。夫の航一だったら、とうてい望むべくもない待遇だ。和食のレストランでも、いちばん奥のよい席が用意されている。

「最近お見えじゃないので、どうなさっていたのかと思っていました」

「いや、しばらく海外だったから」

黒服ににこやかに答える南田には、もはや威厳さえ備わっていて、この男も変わったなと麻也子は思う。

最初に会った時は、全く自分の趣味ではない醜男と思っていたが、中年の入り口にさしかかろうとしている今、月日が彼になかなかの味わいを与えている。縁なしの眼鏡も気障《きざ》にならず、小さな一重の目を聡明に縁どっていた。

「そう悪い男ではないのかもしれない」

小さなグラスでビールを飲み干しながら麻也子は考える。最近そう感じる瞬間が増えて麻也子は嬉しい。もしかすると、この男を愛することが出来るかもしれないからである。愛することが出来るというのは、可能性が拡がっていくことを意味している。

もし夫と離婚するようなことがあったとしても、別の男が控えているのだという安堵《あんど》。その男は人妻となった自分に、ずっと心を寄せているのは間違いないのだ。彼がこうして定期的に自分と会い続けているのは、夫婦仲を探っているからに他ならない。女にとって、これは全く好ましいことだ。

しかもこれがいちばん重要なことであるが、こちらの男と結婚したら結婚したで、人々の羨望を浴びるような生活が出来る。決して離婚して可哀相とは言われないであろう。南田は充分な社会的地位と金を持っていて、海外にも縁が深い。担当している企業がいくつかあるために、月に二度東海岸へ行くような生活をしているのだ。ちょうど休暇が取れたので、ニューヨークの帰り、ヴァージン・アイランドへ寄ったなどという話を彼がする時、麻也子の胸は騒いだ。本来ならば、それは自分も有している権利なのだと思う。あの時、この男を愛することさえ出来たならば、自分もカリブ海でクルージングをしているはずであった。

その権利を放棄したのは麻也子であるから、それを再び手にするのも麻也子でなくてはならなかった。それも自分の好きな時にだ。

今は夫と別れる気はない。姑がからんでくると、腹の立つことも多い夫であるが、今のところはまだ我慢出来る。外に連れ立って出かければ、ハンサムでやさしいご主人で通る航一を、忌み嫌う理由はなかった。

けれどもそうだからといって、一生ずうっと連れ添うという保証もどこにもないのだ。まわりの女友だちを見渡しても、熱烈な大恋愛で結ばれたカップルが、ある日あっさりと別れてしまう。彼女たちに話を聞くと、顔を見るだけで耐えられない、声を聞くだけで悪寒《おかん》が走るようになったと言う。麻也子にもそんな日が突然やってくるかもしれない。その時のために、やはりこの南田は確保しておくべきなのだ。

幸運なことに、自分は少しずつこの男を受け容れることが出来るようになっている。

南田はメニューを片手に、

「しゃぶしゃぶでいいかな」

と尋ね、麻也子は頷いた。二年前ならばおそらく別の提案をしたことだろう。麻也子はそう癇性《かんしょう》な性格というわけではないが、他人と鍋物を囲むのが苦手である。学生時代、他校の男子学生とコンパをした時など、彼らが寄せ鍋の中に、乱暴に箸を突っ込むさまを見ては随分とげんなりしたものである。水越の家でも、時々すき焼きやしゃぶしゃぶの鍋を用意することがあるが、そうした時もあまり箸をつけない。姑の唾《つば》で濡れた箸が、鍋の湯の中に漂っているさまを想像してしまうからだ。

ところがどうしたことだろう。南田がじゃぼんと肉を湯の中に沈ませ、自分の箸をゆらゆらと泳がせてもそれほど気にならないのだ。麻也子はいつになく甲斐甲斐しく、薬味を整えたりしてやる。その主婦を連想する動作に、男が嫉妬してくれたら好都合というものだ。

「もしかすると――」

霜降りの赤い肉をひと切れ、そっと湯の中に放ちながら麻也子は思案する。

「もしかすると、この男とキスぐらいしてもいいと思えるかもしれない」

独身時代、南田にきっぱりと拒絶したことがある。他の男とだったら、そう親しくなる前に「ちょっとした小手調べ」という感じですぐに許すことがあるのに、南田とだけは出来なかった。それは彼のやや紫を帯びた厚い唇がどうしても耐えられなかったことと、そうした自分の驕慢《きょうまん》さを実は彼が気に入っていることを麻也子が知っていたせいだ。だが今夜、酔ったふりをしてキスぐらいしてもいいような気がする。たまにはこの男に約束や確信を与えてもいいだろう。三十六歳の男が、ひたすら人妻の自分を待っているのだから、途中で褒賞《ほうしょう》のひとつぐらいは必要であった。

「やっぱりここの肉はうまいなあ。三田《さんだ》の牛らしいけど、松阪や神戸よりうまいかもしれないな。もっとも神戸牛の大半は、三田の肉らしいけどさ」

美食家らしく彼は、口と同時に箸もこまめに動かす。追加の肉が来る間にも、皿に手を伸ばした。春菊に囲まれて、いっそう白く輝いている豆腐は、彼の箸の間でたおやかに揺れる。

麻也子は、この男はどんな風に女を抱くのだろうかとふと考えた。

容貌に恵まれていない男ほど、セックスの際に女に奉仕するものだと以前聞いたことがあるが、本当だろうか……。

「それが、いよいよ決まってさ」

豆腐を湯の中に置くと同時に南田は言った。

「えっ、何が」

「僕の結婚だよ」

南田はまぶし気に目をしばたたかせた。

「ボストンで知り合った女の子だけど、とんとん拍子に話が進んで、来月結納をすることになった。ま、僕も年が年だから、今さらそんなめんどくさいことはしたくないんだけど、あっちがひとり娘なもんだから……」

「ちょっと待ってよ。私、そんなこと聞いてなかったわよ」

自分の発した声は案外に大きく、麻也子は嫉妬ととられたのではないかと、とっさに後悔する。南田は相変わらず目をしばたたかせているが、あきらかにこちらを窺《うかが》っているのだ。自分の表情を見定めようとしているとわかったとたん、やっと低い声が出た。

「でもよかったじゃないの。おめでとう。これであなたもやっと結婚出来るのね」

「ああ。自分でも意外だよ。二十二歳の女の子と僕が一緒になるなんてね」

「二十二歳！」

またしても小さく叫んでしまった。32マイナス22、イコール10。こんな時女が誰でもするように、麻也子は自分の年齢からすばやく引いてみる。計算するまでもないわかりやすい10という数字に、猛烈に腹が立ってくる。

「二十二歳っていったら、まだ子どもじゃないの。その女の子って、学生なの」

「ああ、あっちのカレッジに留学している」

「ねえ、よくある話よ」

母親が息子に言いきかせるような口調になった。これは決して妬みではない。忠告なのだ。

「あちらには、そういう女の子がごろごろしてるっていうじゃないの。留学生っていっても、実際は何もしなくて、日本から来てる大使館員や企業のエリートを狙ってる女の子たち。淋しいからって、そういうのにひっかかっちゃう男って多いのよ。あなたもそのクチじゃないでしょうね」

「決してヘンな子じゃないよ。ちゃんとした留学生だよ。上智を休学してカレッジで勉強している」

自分が出た学校よりも、はるかに偏差値の高い大学の名を出されて、麻也子はさらに苛立つ。もっと汚ならしくて強い言葉を口にせずにはいられない。

「ねえ、上智行ってるちゃんとした女の子が、どうしてあなたとなんか結婚するのよ」

「そりゃあ……僕に惚れたんだろうな」

南田の口元にはうっすらとした微笑さえ漂っている。

「どうして、どうしてなのよ。ねえ、二十二の女の子が、あなたのことを本気で好きになるわけないでしょう。あなたの出た学校だとか、弁護士っていう肩書きが好きなのよ、そんなことぐらいどうしてわからないの」

「それは違うと思うな。だって友だちの家で紹介された時、彼女は僕のことを弁護士だなんて知らなかったはずだもの」

「それはわからないわよ。若い女の子の計算高さっていったらそりゃあ、すごいもの。

あなたのことなんか、とっくに調査済みだったのよ」

「あのね、君も会えばわかると思うけど、かなり変わったコなんだよ。本人はいずれ美術史をやりたいなんて言ってる。東大とか弁護士なんてことに、まるっきり興味を示さないコだよ」

「それがテなんだってば。私はその人のこと、まるっきり知らないけど、そんな向上心があるコが、どうして二十二で結婚しようなんて考えるの」

「僕と結婚すれば、勉強が続けられると思っているからじゃないかなあ」

南田は先ほどからの麻也子の暴言に全く動じることがない。それよりもむしろ楽しんでいるように見える。麻也子は憎らしくてたまらない。これは間違いなく報復というものなのだ。

新しい肉の皿が運ばれてきたが、麻也子はもう食欲がなかった。自分でもことの意外さに驚いているのだ。目の前の男を決して愛していたわけではない。ましてや自分は人妻なのだ、腹を立てる道理は何ひとつないのであるが、話を聞くにつれて次第に息苦しくさえなっているのである。

「お肉、もう引き上げた方がいいよ」

それなのに南田の落ち着き払った様子はどうだろう。完全に立場が逆転している。おそらく南田は、長いことこんな日を、舌なめずりするように待っていたに違いないのだ。

鍋の湯に、牛の脂が浮かび、それは南田の箸の動きによって揺れる。彼は既に三切れを口にしているのだ。

この男は自分をおとしめようとしている。そのために肉を供応《きようおう》しているらしい。

しかし、と麻也子は思う。そういう企みが未練でなくて何だろうか。彼はまだ自分のことを愛しているに違いない。もし自分がいま、涙のひとつもこぼし、祈るようにこう言ったらどうだろうか。

「お願いだから結婚しないでちょうだい。私はあなたのことが好きなのよ。あなたが結婚するなんてたまらないわ。私は夫と別れるわ、きっと別れる。だからあなたも、そんな若い女と結婚しないで。私と一緒に暮らして。私、あなたとだったら、新しい人生をやり直せるような気がするの」

テレビドラマだったら、この後の筋書きはこうだ。男は驚いたように目を見開き、そんなことをしてはいけないとつぶやく。しかし私は本気なのよ、という女の声にいつのまにか心をゆさぶられていく。

わかったよ。僕だって君を忘れられるわけがない。僕がいちばん好きなのは君なんだからね。

そして二人は目を見つめ合ったまま、エレベーターに乗る。いつのまにかチェック・インされた部屋に入るためだ。ベッドの上で二人は激しく愛し合い、やがて夜明けの薄明かりの中で男はつぶやく。

――もう君を放さないよ。二人でアメリカへ行こう。新しい生活を始めるんだ。わかったね――

本当のことを言えば、南田と食事をする際に、こうした場面を想像しなかったことが一度もないとは言えない。それは麻也子だけがいじり、掌でもてあそぶ玩具のようなものであった。それは今日限り取り上げられるのだ。

麻也子はいっそのこと、口に出してみようかとさえ考える。

あなたのこと、本当は好きなのよ。

しかしそれをためらわせているのは、野菜の皿の横に置かれている南田の手だ。女のようにぽっちゃりしていて、あろうことか外国風に男物の太いリングをしている。凝った銀細工の模様が、麻也子の中に新しい嫌悪を生み出した。

なんてみっともない男だろう。

いくらエリートだからといっても、こんな男と寝るなどということはまっぴらだと思う。留学生だか何だか知らないが、自分は小狡い若い女とはわけが違うのだ。

言わなかった言葉、演じなかった芝居のシーンが、再び麻也子に誇り高さを持たせる。今回も自分は立派にやってのけたのだ。最後の最後まで、自分で選び出したのである。南田は決して口にしなかったが、確かに麻也子は男の誘惑をはねつけ、毅然として帰っていくのだ。

「しゃぶしゃぶ、おいしかったわ」

ゆっくりとナプキンで口を拭った。

「いつもご馳走してもらっていたんですもの、何か結婚のお祝いをしなくっちゃいけないわね」

見事に立ち直ったことと、過去形で話しているのとが、麻也子なりの報復というものだ。

「それがね、僕はしばらくあっちへ行くかもしれないんだ」

突然落ち着きを取り戻した麻也子の態度に、南田はいささか鼻白んだようだ。しかし最後に切り札を出してきた。

「結婚を機に、ニューヨークに住もうかと思ってる。来ないかっていってくれるところがあるからね、勉強のつもりで三、四年住むのもいいかなと考えてるんだ」

「そう、じゃ、もう会えないわね」

そんなことはないさと、言ってくれることを期待したのだが、南田はそうだねと頷《うなず》く。

「だけどニューヨークへ来る時は寄ってくれよ。歓待するよ」

平凡なサラリーマンの妻が、ニューヨークなんかに行けるわけがないでしょうと言いかけて麻也子はやめた。それでは自分があまりにもみじめ過ぎる。

あの日以来、麻也子は何をしても面白くない。すぐに消えると思っていた不快さがいつまでも澱《おり》のように溜まり、喉のタンを切るように麻也子はやたら咳払いをする。気に入りの雑誌もすぐに閉じるし、録画してでも必ず観るようにしていたテレビドラマも、スイッチを入れることさえ忘れてしまったほどだ。

――どうして、あんな男のためにこれほど腹を立てているんだろうか――

――決して好きだったわけじゃない。それなのにこのもやもやした思いはずうっと続いている――

いつもだったらこういう場合、女友だちに長い電話をかけ、とりとめもない愚痴を聞いてもらっているうちに、心はかなり癒されていくのであるが、しょっぱなから嗤《わら》われてしまった。

――バッカみたい。あなたって本当に欲張りだから呆れてしまうわ。まるで女子高生みたいなことを言っているのね――

麻也子はこの思いやりのない言い方にすっかり気分を悪くして、次の友人に電話をするのをやめてしまった。おかげでますます不機嫌な思いはつのるばかりだ。こういう時に限って、夫の航一が小さな失敗をする。麻也子が後で入るとわかっているのに風呂の栓を抜く。夕食を家でとると約束しておきながら、へべれけに酔っぱらって深夜に帰ってくる。

中でも我慢出来なかったのは、ある朝のことおそろしく趣味の悪いネクタイを、よりによって濃いストライプ柄のシャツに合わせたことだ。

「まあ、何て素敵なタイとシャツなのかしら！」

麻也子は思いきり悪意を込めて叫んだ。

「いったいどこに行ったら、そんな素晴らしいものが売っているのかしらね」

「そうかなあ、これ、僕は結構気に入ってるんだけどなあ……」

そうはいうものの、妻の強い口調に反応して彼は結び目に軽く手をやる。リアルな狐と熊が、ジャングルの図案の中に配置されているネクタイだ。

「妻としてお願いするわ、せめてタイだけでもはずしてちょうだいよ。そんなものを締めていったら、あなたの職場での評価がガタ落ちじゃないかしらね」

あの弁護士よりも、航一を選んだ大きな理由のひとつは、彼が端正でおしゃれな男だったということである。それなのにこのようなネクタイをされたら、取り柄のひとつが消えてしまうではないか。

「ねえ、悪いことは言わないから、別のものに締め直してきたらどう」

「もう、いい。めんどうくさい」

さすがに航一も少々むっとしたようで、スティックシュガーの袋を乱暴に破り、砂糖をいっきに紅茶の中に落とした。最近腹が出てきたことを気にしながらも、航一は袋丸ごとの砂糖を使うことをやめない。麻也子がどれほど小言を口にしても駄目だ。狐と熊のネクタイを締めたまま、紅茶をすする夫を麻也子はいつしか冷たく見据えている。

ひょっとすると、この男はみっともない方なんじゃないか。

色白でおっとりとした日本風の顔立ちの航一のことを、たいていの女友だちはハンサムねと言ってくれたものであるが、あれはもしかすると世辞というものかもしれない。いや、確かに結婚する前の航一は、都会的な様子のいい男であった。しかし今は、醜くくたびれ果てた中年男への道を歩き始めているような気がする。それならばあの南田とどこが違っているのだろうか。

男が四十、五十ともなれば、誰もが腹が出て髪が薄くなる。みな同じような外見になっていく。だとしたら学歴や収入で選ぶ方が正解というものではなかっただろうか。

そうした考えの行きつく先には南田がいる。再びニューヨークに職を得た、東大出の弁護士。麻也子はニューヨークというところへ行ったことがない。行ったことはないが、街の様子や店で売られている品物をこと細かく雑誌で知っている。もしかすると麻也子はあの街に住み、一度行きたいと思っていた五番街のデパートで毎日買物をする生活をしていたのかもしれないのだ。

しかし南田が結婚することにより、その可能性は潰《つぶ》れてしまった。見知らぬ若い女が、本来ならば麻也子が持つべき可能性を奪い取ってしまったのである。が、麻也子は南田の結婚そのこと自体を悲しんでいるのではない。一瞬、自分の感情は嫉妬なのかと訝《いぶか》しく思ったがそれは違う。可能性という光り輝くものが、完璧に消滅してしまったことへの悲しみと怒りなのである。

可能性というのは、違う道もあり得るのだというやさしい示唆だ。が、それが失くなってしまった今、麻也子の前にあるのはのっぺりとした一本道の日常である。夫と自分とが少しずつ白髪と腹の脂肪を増やし続けていく日々だ。その間には子どもという物体が加わるかもしれないが、それに伴って姑の存在は飛躍的に大きくなっていくに違いない。

自分が手にし、これからも手にし続けていくだろうものは、今の麻也子にとってひどくつまらなく見える。

私はものすごく損をしたんじゃないだろうか。

麻也子はいつのまにか、自分の掌にあるものを検討している。航一と結婚した時、まわりの女友だちは、もちろんけなしはしなかったが、そう羨ましがることもなかった。それは航一が自分たちの世界の一員ということをはなから認めていたことの証《あかし》でもある。

航一は早稲田の商学部を卒業し、財閥系の金属メーカーの営業部に勤めている。実家は都内の一戸建てで、父親は誰でも知っている商社の重役だ。こうした男との結婚はニュースにも何にもならない。学生時代、コンパでよく隣り合わせた男のプロフィールである。

女子大時代のグループの噂になるような結婚といったら、思いきり華やかであるか、思いきり悲惨でなければならなかった。何年か前、皆が興奮した組み合わせが二つある。華やかな方は、現職大臣のひとり息子との結婚であった。将来は政界にデビューすることが決まっている長男であったから披露宴も盛大極まりなく、有名政治家も何人か出席していた。グループの中にかなり度胸のあるものがいて、橋龍や宮沢元総理に一緒に写真を撮ってくださいとねだり、後にそれを眺めては長いこと皆ではしゃいだものである。悲惨な例としては、長年の恋人にふられた揚句《あげく》、百キロ近い大男と見合い結婚した玲子の例がある。

——デブで汗っかきで脂性《あぶらしょう》、三拍子揃った男って、私、初めて見た——

披露宴の最中、誰かがつぶやき、同じテーブルの女たちはいっせいに頷《うなず》いたものだ。

——玲子って、ふられたショックで、突然マゾになっちゃったのよ——

——それもエリートだっていうならともかく、あの程度の学校出てるんじゃさ——

——見合いならもっと選べばいいのに。ねえ、いったいどうしちゃったの。何がよくって、あんな変わったのとしなくっちゃいけないのかしら——

友人たちのひそひそ声が聞こえたわけでもないだろうが、花嫁にはあまりふさわしくない角度で、ひな壇の玲子はうつむいていた。もともと痩せた女だったから、ウェディングヴェールが重たげで、さらに悲しくはかなげに見えた。隣りでしきりに汗を拭う、嬉し気な巨漢の花婿とは対照的で、麻也子たちはさらにいたましく眺めたほどだ。玲子の親友の証言によると、四日後、ハネムーン先のハワイから電話がかかってきたという。

――レイプされたつもりで目をつぶってたの。だけどあの重さでしょう。つらくって悲しくって涙が出たわ――

しかも相手は童貞だったらしいと、玲子の親友は言い、キャーッと悲鳴が上がったものだ。さらに不幸は続くもので、その新婚旅行先で玲子は妊娠してしまう。今では夫そっくりの四歳の女の子を持つ母親なのであるが、決して幸福そうには見えないというのが多くの友人たちの一致した意見だ。

が、麻也子は思う。いっそ玲子のような結婚の方がどれほどせいせいするだろうか。自分が我慢出来なくなった時に別れたとしても、どこからも非難されることはないだろう。手にしているものがあまりにも粗末な人間は、ぱっとそれを手放す自由をも有しているのだ。自分のように、不幸なのか幸福なのか、ついているのかそうでないのか、はっきりと判断出来ないような人生がいちばん困るのだと麻也子は思う。

仕事にしてもそうだ。麻也子の出た女子大は、就職に強いと言われている。ほどほどのお嬢さまらしさが、企業にとっては使いやすいらしいのだ。コネを持つ者も多かったし、世の中はまだバブルのはじまりの頃である。同級生たちはそれぞれ一流企業にすんなりと入った。麻也子もその頃父方の伯父が関係していたビール会社に入り、希望どおり広報に配属されたのであるが、その忙しさといったらなかった。新製品が出ようものなら、マスコミから問い合わせの電話がひっきりなしにかかってくる。消費者から請求されるパンフレットの発送も麻也子の仕事で、重たい郵便物を持って行き来しているうちに、腰を痛めてしまったことさえある。休みの日は昼近くまで死んだように眠っている麻也子を見て、母親など本気で心配したものだ。航一との結婚が決まった時、

――これで体が楽になる――

とまっ先に思ったのは事実で、最初は鼻白んで見ていた〝寿退社《ことぶき》〟の手続きを即座にとった。結婚してからは一年間専業主婦を決め込み、暇はたっぷりあったから友人との交際を再開した。仲間に誘われて懐石料理とマナーを教えてくれる教室へ通ったのもこの頃だ。学生時代から続いている男友だちのグループとの飲み会にもよく顔を出し、かなり快適な生活が続いていたのであるが、姑が子どものことを言い出しあわてて就職することにした。

とにかく定時に帰れて仕事が楽なところと注文をつけ、中堅の製薬会社の秘書というのが見つかった。秘書といっても、仕えるのは七十近い会長で、宴席もなければパーテ

ィーに従《つ》いていくこともない。毎朝老舗《しにせ》のパン屋から届けられるイギリスパンをかっきり三センチに切り、よくトーストして紅茶と一緒に出す。たまに昔話をしにくる老重役たちに茶を出すぐらいが仕事の、本当に楽な職場である。

が、これを世話してくれたのが舅《しゅうと》であったから、姑との関係がますます複雑になった。自分の我儘《わがまま》から子どももつくらず仕事を続けている嫁、しかも普段は近づかないくせに、ことがあると夫の実家をあてにする嫁と綾子は思っているらしい。口に出さなくとも麻也子にはわかる。

全く姑の悪意ぐらい、はっきり言わずともわかるものがあるだろうか。普通の言葉の中に、あてこすりや皮肉をさりげなくしのばせていても、砂地の中から女はすぐにそれを発見する。だがそんなことがうまくなったとしても、いったい何になるというのだろう。

舅や姑に動向を探られながら、入れ歯特有の口臭を持つあの老人に仕えるよりも、いっそのこと元の職場にいた方がずっとよかったと麻也子は考えることがある。まだ辞めずに勤めている同期の女の話によると、最近になって仕事がぐんと面白くなったという。若い時のように雑用に追われなくなった分、企画の仕事を任されるようになった。マスコミに渡すビデオの制作をすることもあるし、この三、四年は会社が主催する講演会の計画も楽しい。有名な文化人たちが地方へ出かけて講演するのであるが、そこへ随行することもある。地方の名物を食べながら、テレビや雑誌で見る有名人たちと近しく話が出来るのだ。特にまだ若い評論家の某とはすっかり仲よくなり、たまには一緒に食事をする間柄だという。

そういう話を聞くと麻也子の胸は騒ぐ。これといってキャリア・ウーマンを目ざしていたわけでもないのだが、わずかの年月の差で、麻也子はついに仕事の旨味《うまみ》というものを味わえなかったのである。

私って本当はついていない人間なんじゃないだろうか。

南田と会って以来、その問いかけは不意に麻也子の中でなされる。実は長いことその問いは麻也子の奥深いところでなされていたのであるが、南田に結婚を告げられて後、あまりにも何度も繰り返したためにその場所で孵化《ふか》してしまったようなのである。ヒナに育ったその問いは、今や奥深いところから飛び出し、明確にはっきりと時を告げる。

私って本当はついていない人間なんじゃないだろうか。

その問いが執拗になってくる時は、麻也子は夫に対して、小さな仕返しをいくつかする。たとえば夜のおかずを一品少なくする、シチューはレトルトを使うといったささいなものであるが、それでも仕返しをするとしないとではだいぶ気分が違う。

夜の生活を拒否するというのもそのひとつだ。恋人時代とは違い、働き盛りの夫はめったに麻也子を求めてはこない。それでも週末の夜、寝返りをうつふりをして、肩を抱こうとする夫に麻也子は言った。

「私、今夜はちょっと疲れてるのよ」

夫がこの時、怒りでも淋しさでも示してくれれば麻也子は復讐を遂げたことになる。が、夫は、

「ふうーん」

とつぶやいただけである。それは小学生が菓子屋へ行って、アイスクリームはバニラが売り切れているがチョコレートはあると言われた程度の落胆である。いや、その中にかすかな安堵が含まれているのを麻也子は見逃さない。これでは仕返しにならないではないか。

それは性交でもよい。激しく強いものが麻也子を襲い、ひとときどこかへ連れ去ってくれたら、この問いはしばらく鳴りをひそめるかもしれない。

私って本当はついていない人間なんじゃないだろうか。

麻也子はその言葉を夢の中までひきずるまいと固く目を閉じる。

第二章　選択

この頃麻也子は、過去の男たちを思い出すことが多くなった。

男たちといっても、麻也子はたった五人しか知らない。二十六歳で結婚した女にしては、少ない方だろう。女子大時代の同級生の中には、ふたけた、という者も何人かいる。長くつき合うステディな彼がいたにもかかわらず、

――時々つまみ喰いをした――

結果、指を折ってみると足りなくなってしまうのだそうだ。そういう女に限って、最後は大恋愛で〆《しめ》て案外うまくおさまっているのだから、女というのはつくづくしたたかなものだと、麻也子は全く他人ごととして感心することがある。

そこへいくと、自分などなんという純情さであったろうか。恋のはじめと終わりに、多少の重複はあったものの、交際している最中はその男に対して貞淑であった。しかも

みんな長期にわたっていたために、経験した男の数もぐっと少ないのだ。

　その男たちとのベッドの上でのことを考えると、みんな違っていたような気もするし、誰もが同じようだった気もする。ただそれぞれの場面に、きらめくような一瞬があり、それを繋《つな》ぎ合わせると、大層美しく官能的な物語が出来上がる。女なら誰でもそうするように、麻也子はそれを時々小箱から取り出して眺める。その物語に、確かに夫の航一も加担しているのであるが、彼の存在がいちばん希薄になるのはどうしてであろうか。

　たいていの友だちが口を揃えて言うことであるが、夫婦の性生活ほどつまらないものはない。回数の少なさもさることながら、あのおざなりなことといったらどうだろうか。睦言《むつごと》や前戯といったメロディは消えて、挿入のリズムだけが残る。あれはラップ音楽のようなものだと麻也子は思う。ラップ音楽では大人は満足することが出来ない。

　それならばメロディを要求するかというと、そこがむずかしいところで、夫婦には夫婦の見栄や意地というものがあった。

　働き盛りの航一はとにかく忙しい。この不況で彼の所属する部署は業績が上がらず、ロシアやアジアでの新しいプロジェクトに手を伸ばしている。国際電話をかけるために、航一は夜遅くまで社に残ることがしばしばだ。その際に仲間と軽くビールや夜食をとるらしく、最近の彼の著しい肥満はこれが原因だった。もともと色白だったから、彼の頰や顎についた肉は、貫禄というよりもむくみのためのように見える。夫の体に少しずつ蓄積している疲れや脂肪は、最近とみに彼の性欲を失わせている。

「勘弁してくれよ……」

妻の手を払いのけはしない代わりに、彼はつぶやく。そのつぶやきはまさに懇願というもので、麻也子は怒りのあまり気が遠くなりそうになる。

懇願！ それは欲求の懇願ではなく、拒否の懇願なのだ。今まで自分の女の人生で、これほど屈辱的なことがあったろうかと、最初聞いた時、麻也子はしんから憤《いきどお》ったものである。初めてそのことを知った十七歳の時から、男たちは渇仰《かつごう》し、まるで祈るように自分を求めたものではないか。あの時の男の目、そしてわしづかみにされた肩の痛さは、麻也子の物語の中でも特に気に入りの一シーンである。ああした輝かしい記憶を持つ自分が、今はおちぶれてダブルベッドの片隅に漂っている。女王から女奴隷《どれい》への転落はあまりにも早くて、麻也子は未だに混乱しているのだ。

——もしかすると、自分は醜くなったのだろうか——

いや、そんなはずはない。顔だけの鏡も、上半身を映すバスルームの鏡も、いつも否と告げている。若い頃から食べ物に気をつけてきていたから、二の腕にも下腹にも、まだおぞましい贅肉というものはついていない。その代わり、牛乳の膜のような薄く白いヴェールが麻也子の全身をおおっている。胸の形など、二十代の頃よりもはるかに美しく、女のグラフの最高値をぴんと指しているかのようであった。

全く麻也子は不当に扱われているのである。いちばん艶《あで》やかな自分が、妻であるということだけで、ひとりの男のために幾重にも覆いをかけられている。しかもこれがいちばん腹が立つことであるが、夫である男は、その覆いをめったにめくろうとしないのだ。それでは近頃麻也子が感じている、夫に対しての遠ざかっていく思いは、すべてこのことに起因しているのかと考えると、それはそれで麻也子には不快だ。

——これじゃまるで、世間にころがっている、欲求不満の主婦というものではないか

——

女性雑誌を広げると、そういう女たちのことがいくらでも載っている。何年間も夫に抱かれていない女たちが、いかにしてそうした口惜しさを解消しているかという話だ。麻也子と同じような年齢の女たちが、あっけらかんとテレクラに電話をかけ、知り合った男たちとホテルへ出かけたりする記事は、信じられないことはないが、認めたくはない。

——こういう女たちは、おそらく教養のない馬鹿な女たちに違いない——

少なくとも、麻也子の所属する世界では、そんなことは起こらないはずであった。麻也子の友人たちの中にも、不倫をしている者が何人かいるが、みなそれぞれにしかるべき手続きをとっている。それは職場や友人の紹介で知り合った男たちだ。たとえ浮気といえども、身元のしっかりとした男を選ばなくてはいけないというのが、彼女たちの常

識らしい。

「私もテレクラっていうところに、一度電話をかけたことがあるの」

その中の一人が、こっそりと打ち明けたことがある。

「そうしたらね、相手はまだ若い男で、サラリーマンらしいんだけど、話し方がとっても下品なのよ。それでおかしいの。すぐに会おう、いつ会えるなんてすぐに聞いてきてね、その待ち合わせ場所がどこだと思う、渋谷のハチ公前よ。どうやら東京に来たばっかりで、他の場所を知らないらしいの。私、おかしくって、おかしくって、すぐに切っちゃったけどね、どうせだったら、夕方七時に、ハチ公のシッポ握っててちょうだい、とでも約束しとけばよかったわ」

麻也子もそんな相手はまっぴらだと思う。安っぽいコートを着て、目をぎらつかせている若い男がたやすく想像出来る。何が悲しくて、そんな男に抱かれなくてはならないのだろうか。

麻也子が好む男というのは、あくまでも品がよく端正でなくてはならなかった。話しぶりやものごしに教養というものがあり、そうかといって四角四面の男でもない。ユーモアもわかり、スポーツマンで……と挙げていくと、夫の航一はまさにあてはまる。姑に頭が上がらず、やたら実家を大切にする、などという欠点はあるものの、航一はそう悪い男ではないと、浮気をぼんやりと夢想する麻也子は、急に夫に甘い点をつける。

基本的に航一はやさしく思いやりがある男だ。妻に対して声を荒らげるわけでもなく吝嗇《りんしょく》でもない。この頃は肥満が気になるものの、世間的にはハンサムということでとおるであろう。

この夫を愛しているかと問われれば、麻也子は返答に困る。麻也子の知っている愛というのは、もっと華やかでエネルギッシュなものだ。しかし夫を愛していないと答えることは出来ない。愛という規格からかなりずれてきているというものの、夫に対してまだ甘やかな感情は残っている。時々麻也子は、それは義務と名づけられるものではないだろうかと、醒めて考えることがあるのだが、とりあえずいまいちばん大切なことは、そうした自分の心の深淵をのぞくことではない。ずっと続いている苛立ちから逃れる道はただひとつ、外に目を向けることではないだろうか。

——例えばこんな風に考えてみよう——

あまり自分では認めたくないが、夫に持っているこの大きなもやもやの最大の原因は、性が欠落していることかもしれない。それならば、どこからか、性というパーツを持ってきて夫にくっつけてみる。すると、完璧とはいえないが、ほぼ満足する夫が出来上がるのではなかろうか。

友人たちも証言している。

「浮気をするとね、かえって夫にやさしく出来るものよ。本気にならなきゃ、そっちの方が夫婦円満の秘訣かもしれない」

そうした女たちの言葉に、きき耳をたてるようになったのは、いったいいつ頃からだったろうか。夫をさらに愛するために、他の男と寝るなどということは、全く理屈に合わないことのようであるが、理屈に合わずともそう根拠のないことではないらしい。理屈に合わないことは、世の中いくらでも起こっている。少なくとも、馬鹿馬鹿しいと、すぐに打ち捨てることは、今の麻也子には出来なかった。

――でも私に、そんな勇気があるだろうか――

勇気はチャンスと置き替えてもよい。麻也子は、まわりにいる男友だちの何人かを思い浮かべてみる。彼らと寝ることは、おそらく簡単なことであろう。酒の席で隙を見せる。もう酔っぱらったみたいと、頬に手をあててみる。送ってくれる車の中で、それとなく握りやすい位置に、手をおけばいい。

独身の頃の策略のいくつかを、麻也子は思いうかべたが、大きな問題があった。それは麻也子が人妻であるという事実を、彼らが決して忘れないだろうということだ。おそらく彼らはおじけづくであろう。そしてそれをねじ伏せてまで寝てみたい男などひとりもいなかった。それに結婚当初、夫をよくパーティーや飲み会に連れていったために、男友だちと夫とは顔見知りの仲だ。彼らの中の誰かと関係を持つことは危険過ぎる。おそらく噂になることは間違いない。そうかといって、テレクラで知り合った男などというのも、鳥肌が立つほどおぞましいことだ。

そう考えてみると、南田はつくづく惜しいことをしたと思う。他の男友だちとは違い、自分の密かな期待のせいで、彼の名だけは決して夫に告げたことがなかったのだ。南田は麻也子と航一の人間関係の輪からはずれていた。秘密もおそらく守ってくれたに違いない。

ああした男には、もう二度とめぐり合うことが出来ないのであろうか。よく考えてみると、麻也子の人間関係はそう広くはない。まず学生時代のグループが核になっていて、そこに何人かの人々がつながっている。会社でもせいぜい総務の男性たちと飲みにいくぐらいだ。主婦でもある麻也子にとって、このあたりが限界である。

本当に考えれば考えるほど、自分はつまらぬ日常をおくっているものだと思う。

——それならば——

そう思った瞬間、不意に男たちの像が浮かび上がってきたのだ。かつて寝たことのある五人の男たち。航一も中に含まれているから、それを引くと四人の男ということになる。

といっても最初の二人は、高校や大学一年生の時の話であるから、もはや消息も定かではない。そして四番目の男性は、麻也子のことを恨んでいるはずだ。一年近くつき合い、彼は当然結婚するつもりでいたらしいのであるが、麻也子が手ひどいめにあわせた。

航一が出現したためと、その男がいずれは故郷の宮崎に帰るつもりだと言い出したため、麻也子の方から別れを告げたのだ。この時貰った指輪も返したのであるが、指輪といっても、たかだか十万円ぐらいのファッションリングである。それなのに男は、婚約を破棄されたと友人たちに言いふらし、麻也子はかなり長いこと、嫌なめにあわされたものだ。

麻也子がいま懐かしく思っているのは、大学時代の恋人と、この狭量《きょうりょう》な四人目の男との間にはさまれた三番目の男である。彼は野村といって、男ぶりも経済力も航一よりも上といってよい。それなのに結婚にまで至らなかったのは、彼に妻子がいたためである。

ああ、そうなのだ。自分はもう既に、不倫というものを経験しているのだ。あれも不倫というものであったと、麻也子はなぜだか懐かしく思い出した。これで免罪符の十分の一の切れ端を手に入れたような気分だ。

あの頃、社会人となったばかりの麻也子たちの間では、妻子持ちの男とつき合うのが流行っていて、特にマスコミ関係の男が人気があった。野村は大手の広告代理店に勤める既婚者である。大学を卒業した長い春休み、ヨーロッパ卒業旅行の小遣い稼ぎに、仲間たちと煙草のキャンペーンガールをした。お揃いのジャンパーにミニスカートをはき、イベント会場で笑顔をふりまくアルバイトであった。日給も信じられないほど高額だったうえに、夕食も鮨屋やステーキハウスに連れていってくれ、麻也子たちは有頂天になったものだ。お礼にと思い、パリでエルメスのネクタイを土産に買ったのが始まりであった。

バブル景気がそろそろ前兆を見せていた頃で、野村は大層羽ぶりがよかった。まだ三十三か四の若さであったはずだが、普通のサラリーマンにしては少々やくざに見えるほど高価な背広を着こなし、やたら経費の伝票とタクシー券を切ってくれた。

ベッドの上でも彼はとても気前がよく、全くたいしたものであった。あの頃のことを考えると、麻也子は幸福な羞恥で顔が赤くなる。本当にどうしてあんなことが出来たのだろうか。本当にどうして、何度も何度もあんなことが出来たのだろうか。

野村はいわば、麻也子の青春をいちばん濃く力強く彩った男である。

――あの男ならどうであろうか――

きっぱりと別れを告げたわけでもなく、別の若い男が現れてなしくずしに終わった仲である。そのだらしない別離ゆえに、今でも嫌な感情はない。結婚の時に祝いのカードが送られてきたし、時々年賀状が舞い込む時もある。同級生の一人に、その代理店に勤めている女がいるが、さりげなく麻也子のことを尋ねたという。

昔の男を物色するのは、品がいいとはいえない行為であるが、麻也子はそれをしてもいいような気がしてきた。すぐに不倫の相手にしようというわけではない。まずは会い、食事をする、酒を飲む。そしてちょっと昔話をする。もちろんちょっと卑猥な含み笑いをするぐらいのことはあるだろう。が、それがいったい何だというのだろう、まだ麻也子は何も行動を起こしていないのだ。

昔の男に電話をかけるというのは、なかなかむずかしい作業である。

理由がなくてはならないのはもちろんであるが、この理由が立派過ぎて文句のつけようがないものであると、反対にあざとい印象を持たれることがある。たとえば就職のコネ、選挙や署名に関することがらがそうだ。

かつて愛し合った男に電話をかけるからには、隙がなくてはならない。どうしてこちらに電話をしてきたのだろうかと思わせる理由の不完全さが、やがては秘めやかな期待に繋がるはずだ。

麻也子が考えついた理由は、近々来日する有名アーティストのチケットを、野村に頼もうということであった。麻也子はどうしてもその歌手の歌を聞きたいというわけでもなかったし、チケットセンターに早めに申し込めば、決して取れなくもない状況だということも知っている。それにもかかわらず野村に電話をかけるというのは、もちろんきっかけをつかむためだが、二人の過去をそこはかとなく思い出させるためもある。

十年前のあの頃、麻也子たちは女としてのプライドを懸けて、決してチケットなど買わなかったものだ。流行《はや》りのディスコなどへ行く時も、金を払った記憶がない。わざわざ金を出して入場券を手に入れる女は、魅力とコネがないことを世間に知らしめているようなものだと思っていた。グループの誰かに、必ずといっていいほどテレビ局や広告代理店に勤める恋人がいたし、ただで店に入れてくれる黒服の友人がいた。

あの頃不倫をしていたとはいえ、野村も麻也子のそうした見栄に大層協力してくれたものだ。映画の試写会の切符は、毎月大量に持ってきてくれたし、これは麻也子とその他一名に限っていたが、コンサートの関係者席にこっそりと入れてくれたものである。特に麻也子を感動させたのは、ユーミンのコンサートであった。徹夜しても手に入らないといわれるプラチナチケットなのに、野村は招待者席のロイヤルボックスに麻也子を連れていってくれたのである。

奥の方には、飲み物や軽食を用意したパーティー会場もあり、公演を終えたユーミンがそこへやってきて乾杯があった。大ファンだったスーパースターをごく近くで見ることが出来たうえに握手までしてもらい、麻也子はそれこそ夢心地になったものだ。そして野村のことを、なんとすごい権力を持った男だろうかと、憧れの目で見つめた。

あれから歳月がたち、今の麻也子には広告代理店に勤めていた野村の、ロイヤルボックスの切符を手に入れたからくりが何とはなしにわかる。そのことを権力と賛える無邪気さもない。それでも二人でユーミンの「ノーサイド」を聞きながら、手を握り合ったこと、その後新宿の高層ホテルで激しく抱き合ったことなどは、麻也子の中でも最も気に入りの「青春の記憶」というやつだ。

チケットのことを頼んだら、野村がこのことを思い出さないはずはない。麻也子はまだ経験がないのであるが、かつて寝たことのある男と酒を飲んだり、食事をしたりする気分は、いったいどういうものであろうか。ちょっとしたあてこすりを言ったり、二人だけにわかる卑猥な思い出に繋がる言葉をつぶやいたり、それはなかなか楽しいものだと友人たちは言う。一応大人のふりをして、何ごともなかったように振るまうのであるが、そのくせ男の靴の爪先が、自分の靴のそれにぴったり迫ったりする。それを振り払うようにしてにっこりと笑って、男の現在の妻や恋人に話題を向ける。するとそういう時、男はたいてい苦々しい表情になる。そういうものを見るのも大層愉快なのだそうだ。そうなのだ、自分はちょっとした冒険をするだけなのだと麻也子は自分に言いきかせる。セックスしようとまでは思っていない。ただ九年前に恋をした男に会って、過去をなぞったり、多分今も自分をいとおしげに眺めるだろう男の視線を浴びたりする。それは考えるだけでも心地よさそうだ。

麻也子はゆっくりとプッシュフォンの番号を押した。野村の勤める巨大な広告代理店は、実に細かくさまざまなセクションに分かれているが、彼の部署の名を麻也子は知っている。なぜなら女子大時代の同級生が、同じフロアに勤めているからだ。かつての恋人の消息を尋ねることはしたないことでもあるし、弱みを握られることだと思っていたが、こんなことならもう少し彼女からいろんなことを聞き出しておけばよかった。

麻也子がいちばん恐れていることは、野村が会社の中でラインをはずれ、すっかり昔の精彩を失くしていることである。こうした男に会う価値はないと思う。麻也子は別段ボランティアをしているのではない。かつて自分が紡《つむ》ぎ始めてやめた、ラブ・ストーリーの途中に手を触れたいだけなのだ。その続きをもう一度創り出すかどうかは後の判断に任せるにしても、みすぼらしく毛羽立ったものに手を触れたくはなかった。

ところが交換の女は、確認の際に野村の名の下に〝長〟をつけたのである。彼の四十二歳という年齢を考えれば、それはあたり前のことであったかもしれないが、麻也子は自分の企みの、吉兆のようなものを感じる。

「はい、野村ですが」

男の声は低く、耳に心地よい。しかし少し訝《いぶか》し気な響きがあるのは、麻也子が水越と名乗ったからに違いない。

「私です。あの、川西麻也子」

旧姓を口にしたとたん、男の声ははじけたようになった。

「ああ、麻也ちゃんか、久しぶりだなあ」

男の声があまりにも明るいのが麻也子には不満だ。かつては用心を重ねて発音されていた「麻也ちゃん」という言葉が、これほど無防備に会社の中で言われてよいものであろうか。それでつい事務的な声が出た。

「ちょっとお願いがあって、お電話したんですけどね」

愛想がないついでにいくつかの嘘もつく。

「チケットセンターに電話したけれど、どこもソールドアウトなんです。だから野村さんに電話すれば、スポンサーの関係で都合してくれるかと思って」

「うーん、あれね」

ほんの少し間があり、彼は言った。

「あそこのスポンサーは、僕とは関係ないけどさ、チケットぐらいどうにでもなるよ。何枚いるの、一枚、それとも二枚」

「二枚、お願いしたいんですけどね」

自分のこの高飛車な物言いは、緊張のためだとやっと麻也子は気づいた。

「いいよ、何とかしましょう、麻也ちゃんのためだもの」

そして野村は、突然がらりと口調を変えた。

「もちろんチケットはどうにかするけど、麻也ちゃん、まさか旦那さんと行くわけじゃないでしょう。それだったら僕、苦労して取るのやだな」

マスコミ業界で働く男独得のなめらかさとサービス精神というものであるが、この拗《す》ね方はかなり麻也子を満足させる。かつて独身の頃は、こうした男の言葉をふんだんに味わったものであるが、このところはとんとご無沙汰であった。久しぶりの甘味は、じいんと体に染みわたっていくようである。たとえ人工甘味であろうと、こうした甘味は定期的に女には必要なものだ。

「そんなんじゃありませんったら。どうしてもコンサートに行きたいっていう女友だちと一緒ですってば」

〝女友だち〟という言葉に、かすかなニュアンスをつける。まだ誰も誘ってはいないが、大物アーティストの久々の来日だったら、行きたい者はいくらでもいるだろう。しかし、次の野村の言葉は、麻也子から甘味の酔いをいっぺんに奪い去る。

「チケット、手に入ったらどうしようか。郵送しようか」

麻也子は怒りと失望のために、しばらく口がきけない。何てことを言うのだろうか。郵送だって。彼はもう一度自分と会いたいとは思わないのであろうか。もしかすると、大きなきっかけになるかもしれないものを、この男は封筒に入れ、切手を貼り、それですべてを済ませてしまおうとするのか。

「でもそれも残念だよな。どお、久しぶりに会わない。チケットは僕が何とかするからさ、その代わり夕食つき合ってよ。せっかく電話もらったんだからさ、僕とデートしてよ、ね」

ようやく待ち望んだものが来たと、麻也子は深呼吸する。そして快諾の返事を与えようとして、そこで躊躇《ちゅうちょ》した。野村は十年前よりもはるかに老獪《ろうかい》になっているようだ。おそらく「郵送」と言ってみて、こちらの反応をうかがっていたに違いない。あの頃の麻也子であったら、おそらく、

「それじゃ、チケットは私に送って。速達でね」

と言って電話を切ったであろう。しかしその後に、男からの電話は必ずかかってきた。もちろん謝罪の電話である。今日麻也子がここで電話を置けば、本当にチケットは郵便で送られてくるはずだ。そしてそれですべて終わりだ。口惜しいことに、やはり麻也子に昔のような驕慢《きょうまん》さは許されていないらしい。

「それじゃ、会いましょうか……」

麻也子はそれが目的であったはずなのに、敗北の深いため息を漏らした。

「野村さんはお忙しいでしょうから、私が近くまで行くわ」

ここまで譲歩する。

麻也子はひとつの賭けをした。野村が指定してきた店が、かつて二人がよく行った場所ならば、彼はまだ自分に未練を持っていることになる。そうでなかったら、野村は本当に親切心からチケットと夕飯を提供してくれることになる。

が、その店はどうにも判断がしづらい。十年前は時々二人で出かけたフランス料理店は代が替わり、オープンテラス式のイタリアンレストランになっているのだ。オープンテラス式といっても、冬のことで外界とは厚いガラス戸で仕切られている。奥の区切ったところが、本格的な料理を食べさせるところらしく、白いクロスがかかったテーブルが並んでいる。

約束の時間よりも少し遅れて麻也子が入っていくと、野村は既に来ていて薄桃色の食前酒を飲んでいた。

「やあ」

野村はかすかに照れたように笑った。彼の容貌も麻也子が懸念《けねん》していたことのひとつだ。中年となった彼が、すっかり醜い外見になっていたらどうしようかと案じていたがそんなことはなかった。こめかみのあたりに白髪があるが、それは老《ふ》けたというよりも、ゴルフ焼けした浅黒い肌をひきたたせる結果となっている。もともと恰幅《かっぷく》のいい男であったから、肩のあたりに固い感じの肉がついていた。相変わらずスーツの趣味がよい。赤味の勝ったネクタイは、おそらくエルメスであろう。

野村には給料をたっぷり貰っているサラリーマンだけが身につける、壮年の美しさが確かに漂っている。彼がもしみっともなくなっていたら、という想定も麻也子の中にはあり、そうしたらチケットを貰い、食事を終えたらすぐに帰る心づもりであった。しかしこれならば二次会の酒にもつき合っていいだろう。

野村は麻也子のコートを脱がせたり、食前酒の注文を聞くなど細々としたひととおりのことをすませ、そしてやっと落ち着いたというように、麻也子の正面に座った。

このイタリア料理店は、カップルで使われることが多いらしく、二人掛けのテーブルが並んでいる。女は壁を背に座るから、ずらりと相手の男たちが横一文字に並ぶことになる。それはさながら男たちの品評会だ。若い男は、入り口に近い、カジュアルな料理を食べさせるテーブルの方に行くから、ここに座っているのは、やや年齢が高い男たちだ。三十代のはじめから、五十代といったところであろうか。その中でも野村がずば抜けてよいと麻也子は思う。たとえ恋人や夫でなくても、ひどい外見の男と二人きりで食事をするのはまっぴらだ。そこへいくと高価そうなスーツといい、洗練されたものごしといい、野村はかなり麻也子に優越感を与えてくれる。肩こりに効くと流行っている、金色のブレスレットをしているのが気にかかるが、このくらいは我慢すべきものであろう。

「麻也ちゃん、久しぶりだねえ」

野村は感にたえぬように息を漏らした。

「ますます綺麗になったよねえ。あの頃は、あどけないっていう感じだったけど、すっかり大人になった」

「やだわ、それって、おばさんになったっていうことじゃないの」

「まさか、違うさ。女盛りっていうことだよ」

それは本当に違いない。野村の視線がすばやく、自分の喉のあたりや、唇のあたりに注がれているからだ。平日だったから美容院に行く時間はなかったが、念入りにホットカーラーで髪を整えてきた。それよりも先日貰った美容液を、昨夜念入りにつけておいたのが効いたらしい。ファンデーションがするりと肌になじみ、夕方の今となっても少しも崩れていない。

「麻也ちゃん、ますます綺麗になったよ。きっと旦那の手入れがいいんだろうなあ……」

この下品な言いまわしは、麻也子をさらに心地よくさせる。野村のような気取り屋の男が突然下品になるというのは、何かに揺り動かされている証拠である。それを性欲と呼ぶのは気にくわないが、とにかく野村の視線がまっ先に自分の首すじから胸元に来たのは本当で、昔寝た男と食事をする醍醐味は、こういうところにあるのだろうなあと麻也子は合点する。

が、あまりにも直截《ちょくせつ》的表現をしたことに野村は気づいたらしい。オードブルが運ばれてくる頃には、すっかり落ち着きを取り戻して、今自分がやっている仕事のことを話し始めた。今年彼が手がけたＣＭが二つ、大きな賞を獲《と》ったという。

「えっ、あれって野村さんがつくったの」

「僕がつくったわけじゃないが、僕のチームがつくった」

野村はこういって胸を張る。そして、本当は知りたくないのだという心根を表現するために、眉を寄せて尋ねてくる。

「それで麻也ちゃんはうまくいってるの。結婚生活は幸せなの」

さて、どう答えようかと麻也子は考える。南田のような戦略は使えそうもない。うまくいっていないというのも欲し気だし、うまくいっているというと、相手を拒否しているように聞こえるかもしれぬ。昔寝た男と食事をするというのは、本当にむずかしいものだ。

透明なカクテルの中に、くすんだ緑色のオリーブの実が沈められている。それを揺らすように、野村は時々結婚指輪をはめていない左手を動かす。食事の後の小さなバーのテーブル席だ。

男のぽっちゃりした手や、毛深い指を麻也子は我慢出来なかったが、その点野村は合格であった。嫌味でない程度に、爪も綺麗に磨かれている。長く伸びた指は適度に節があって男らしい。その中でいちばん長い中指は、かつて麻也子の奥深いところに入ってきたことがある。その時中指は忠実な斥候となり、さまざまな情報を主人に伝えたものだ。

いま、野村の中指は、全く素知らぬ風に麻也子の指から十五センチ離れたところにある。

その指は濡れてもいないし、微妙な動きを見せることもない。まるで指が、ネクタイを締めスーツを着ているかのように、麻也子の指との距離はいっこうに縮まりそうもなかった。

「ねえ、麻也ちゃん、結婚生活、うまくいってるの」

が、声は粘り気を帯びている。声というものも、セクシュアルな気分になると、どうやら体液に似た状態になるらしい。麻也子はこの問いにふさわしく、語尾を伸ばすようにして答える。

「まああってていうところかしら」

「まあまあ、ってどういうこと」

野村はベルリッツスクールで、英語の意味を尋ねる生徒のように首を傾《かし》げた。

「可もなく、不可もなく、っていうところかしら」

「そんな身もフタもない言い方はないよなあ」

ほんの七ミリ、野村の中指が近づいてきたのがわかった。

「だって麻也ちゃん、すごい恋愛結婚で結ばれたんだろう」

おそらく麻也子の同級生からでも聞いたのだろう。

「熱々のカップルだっていう話だぜ」

「そんなこと、ありませんったら。ありきたりの合コンってやつだってば……」

「ああ、びっくりした」

野村は芝居がかった動作で左の胸を押さえる。

「ありきたりの強姦って聞こえたぜ……」

「耳、どっかおかしくなってるんじゃないの」

軽いジャブ、といった感じで、野村は卑猥な単語を会話の中に混ぜてくる。少し酔い始めた身にそれは大層心地よい。男と二人きりで飲む酒には不可欠なもので、麻也子はそれを久しぶりにじっくりと味わっている。

「だけど、僕が麻也ちゃんだったら、結婚はしなかったよなあ」

「あら、どうして」

「だってもったいないじゃないか。こんなに若くて綺麗なのにさ、一人の男のものになるなんて。僕だったら、もっといろんな男とつき合って、楽しく暮らしたのになあ」

本当にそうね、という言葉を、麻也子は喉の奥の方にしまい込む。そこまで野村に迎合することはないだろう。

「私がいま結婚してなかったら、野村さん、きっと正反対のことを言ったと思うな。どうして嫁に行かなかったんだ、だからハイミスになったんだって」

「とんでもない」

指は伸びてこなかった代わりに、野村の靴が軽く麻也子の靴の先に触れる。

「そうだったら大喜びだよ。僕はすぐ麻也ちゃんに、もう一回アプローチしちゃうよ。結婚した方がいい、なんて絶対に言わないね。結婚なんてさ、あんなの、しなくて済むんだったらしなくってもいいんだからさ」

麻也子は不意に野村の妻のことを思った。かつてつき合っていた頃も、一度も見たことがない女である。なんでも野村と大学時代からの仲だったという。まだ引越してなければ、神奈川のしゃれた住宅地に、二人の子どもと一緒に住んでいるはずだ。

結婚しない方がいい、という男は、必ず結婚しているものだ。彼の妻は、夫が別の女に向かい、このようなことを喋《しゃべ》っていることを知っているのだろうか。麻也子は何やら愉快な気分になってくる。

「何がおかしいの」

「いやあ、私も大人になったなあと思って。人の奥さんになって、野村さんと結婚はしない方がいい、なんて話してると思うと、何だか不思議な気分」

麻也子のこの発言は、どうやらノスタルジアと受け取られたらしい。

「そうだよなあ……」

野村は相好《そうごう》を崩す。

「あの時はさあ、麻也ちゃん、まだ子どもだったもんなあ。どうしてこっちの気持ちを、もっと理解してくれないんだろうかって、がっかりしちゃうことあったもんなあ……」

「そうだったっけ。私、まるっきり記憶にない」

自分の言葉が、驚くほどのスピードでぞんざいになっていくのがわかる。

「そりゃあ、そうだよ。ほら、麻也ちゃんの誕生日の時にさ、箱根のホテルへ行こうとしてたことがあるだろ。麻也ちゃんが、ゴルフ覚えたての頃でさ……」

「憶えてる、憶えてる」

「予約も入れて、ものすごい苦労をして、やっとやりくりがついたのに、麻也ちゃんから突然キャンセルが入ったんだよなあ。あの時は全くがっかりしたなあ」

「仕方ないわよ。箱根へ行く前に、二人、大喧嘩しちゃったんだから」

「でも、あれはないよなあ。箱根でゆっくり仲直りしようと思ったのに、キャンセルだもんなあ。その後もまだぷりぷりしてたんだよな。それで結局は、バースデープレゼントにバッグを買わされたんだよな」

過去について、具体的なことを口にし始めるのは、男が欲情している証拠である。それが証拠には、野村の革靴は麻也子のそれにぴったりと添っていて、テーブルの下から時々きゅっという摩擦音さえ聞こえてきそうだ。

引き返すなら今だと麻也子は思う。人妻としては、このあたりが限界なのではないだろうか。具体的な言葉の行きつく先は、具体的な行為しかない。そんなことは重々承知している。しかし、行為が孵化《ふか》する前の、どろりとした黄身のような空気を、もう少し味わってみるのはいけないことだろうか。

もはや野村はまっすぐにこちらを見ている。こうした静かさは何といえばいいのだろうか。そうだ「切実さ」だ。麻也子がいちばん欲しくて欲しくてたまらなかったものだ。が、テーブルの上での切実さは確かに重過ぎる。先ほどまでの軽口も途絶えて、今や二人の間には沈黙さえ流れているのだ。麻也子はいつのまにか、決断を迫られているかのようであった。

この時、騒がしく入ってきた男たちがいた。五人の男たちは、全員制服かと思われるような、クリーム色のトレンチコートを着ていた。

「少々、お待ちくださいませ、すぐにお席をおつくりしますから」

灰色のチョッキを着たウエイターが、ちらりとこちらを見る。麻也子たちの隣りには、やはり二人用の小さなテーブルがあり、こちらは空席となっていた。急いでテーブルをしつらえるとなると、やはり麻也子たちが席を立たないわけにはいかないだろう。席に着いて、もう一時間以上が経過している。帰るにはいい頃合いであった。

野村は片手を上げ、チェックをしてくれという合図に、ペンを走らせる動作をする。

黒服を着た別のウエイターが急いでやってきた。

「野村さん、申しわけありません。せかせてしまったようで」

「いいの、いいの。ちょうど帰ろうと思ってたところだから」

常連客独得の鷹揚《おうよう》さで頷く彼に、ウエイターはコートを着せかける。

「野村さん、外は寒いようですから、お気をつけて」

この男は、昔から自分を名前で呼ばない店には、決して行かなかったなあと麻也子は記憶を辿る。

二人は外へ出た。ウエイターの男の言うとおり、外はしんと冷え込んでいた。夜遅くなると、わずか一時間の差で、冷気がまるで違ってくるのだ。

タクシーをつかまえるためには、外苑西通りまで出なくてはならない。駐車場を斜めにつっ切ることにした。足立ナンバーの白ベンツの傍で、不意に野村は立ち止まる。

「送るよ」

「いいわよ」

自分の声がひどく尖《とが》っていると麻也子は思った。これではまるで怒っているように聞こえる。予想していたことが、すぐそばまで近づいているからだ。

「ダンナ、もう帰ってるの」

野村の声もいっそう低くなり、怒りを含んでいるように聞こえる。

「ダンナ、君がこんなに遅くなって怒らない」

「そんなことないってば」

そう言いかけたとたん、麻也子の唇は男のそれでふさがれた。昔から煙草を吸わない野村の唇は清潔である。舌は重みを持って、麻也子の口腔を刺激する。

男とこういうことをしたことは、何百ぺんもあった。野村とも、かつては飽きるほどキスを交した。それなのに、失くなるはずもない麻也子の舌を探そうとでもするように男の舌がゆっくりと動いている間、麻也子の後頭部では、声が出ない蟬《せみ》たちが羽をすり合わせている。特別の空気と時間が流れているようなこんな感触は、初めて男の子とキスをした十五の時以来だ。

麻也子はつくづく、人妻という立場の不思議さを思った。自分の中に、こんな純真さが残っているとは驚くばかりだ。人妻という心の枷《かせ》が、他の男とのキスをこれほどまでしみじみと受け止めさせているのだ。

それはもちろん、良心の咎《とが》め、などというものとはまるで違う。夫に対してすまない、という気持ちなど全くない。たかがキスではないか。それなのにキスひとつで、自分はこれほど興奮しているのである。

本当に人妻というのは、なんとすごいものであろうか。食事を美味にする空腹のような役目があるらしい。

キスぐらいでこれほど胸がドキドキするのならば、セックスまでしたらどんな気分になるであろうか。が、唇を離したまま、しばらく野村は無言でいる。どうやら今日はここまでにしておこうという心づもりらしい。ロマンティックな幕引き、といった演出がほの見える。麻也子もこれといって異存はない。

「来週にでも連絡するよ」

野村の口調は一瞬で、すっかり愛人のそれになっている。

「風邪、ひかないようにしろよ」

タクシーのドアが閉まる前に、彼は小さく叫んだ。麻也子の大好きなあの「切実さ」で。

どうやら自分は甘美な入り口に立ったらしいと、麻也子は満足のため息を漏らした。ただひとつの不満は、野村がタクシーチケットをくれなかったことだ。

第三章　跳ぶ

マンションのドアを開けると、消えかかっている人の気配と暖房のぬくもりを感じた。どうやら航一は、既にベッドルームに入ってしまったらしい。

寝室の小さな灯りをつけた。麻也子が昨年バーゲンで買ってやったラルフ・ローレンのパジャマを着て、航一が寝ていた。麻也子がワードローブからハンガーを取り出すと、航一は寝返りをうった。小さな声で、

「おかえりィー」

とつぶやく。この時の航一はなかなか可愛らしい。枕の上の男というのは、たいてい幼く見えるものであるが、航一も例外ではなかった。少々口角を上げて眠るのが微笑んでいるように見える。

麻也子の高揚した気分に火がついた。

「航一クン、ただいま〜」

おどけて航一のベッドにもぐり込む。両手をすっぽりと夫の肩にまわした。当然のことであるが、許しを乞うているのではない。ただやたらと嬉しくて、うきうきとした気分なのだ。

ああ、さっきのキスの話を夫に出来たらどんなにいいであろうか。が、そんなことが出来るはずはなく、麻也子は騒々しく夫にキスを求めた。

「こら、航一、キスをしろ、キス」

眠いよォと言いながらも、航一は妻の唇に軽く触れる。麻也子の唇は、野村の唾液で濡れているはずだ。航一は知らないうちに、見知らぬ男の唇に間接的に触れてしまったのだと、麻也子はくすっと笑いたい気分になる。

「眠いなんて言ってる場合じゃないんだから」

麻也子は今度は脚を夫にからめていく。

またひとつの賭けをした。

もし今夜、夫がこのままセックスをしてくれたら、自分はもうこれ以上野村に近づかないようにしよう。

夫がいつものように拒否をしたら、麻也子は野村と先に進む決意をする。

だいいち他の男とのキスで、すっかり火照《ほて》っている妻の体を、どうにかしようと思わないとは、職務怠慢としか言いようがないではないか。が、口惜しいことに、麻也子はさっきのキスの一件を、夫に告げることが出来ない。麻也子の小さな冒険はなし遂げた瞬間から、秘密という宿命を持たされているのである。

「ね、航一クン、航ちゃん、ダンナさま」

麻也子はありったけの航一の呼び名を言い続ける。航一さんや、コーイチちゃんといった姑がよくする呼び方は絶対に使うつもりがなかった。

それなのに夫の体からたちのぼってくるものは欲情ではない。なんと苛立ちである。

「もおさー、僕は明日早いんだよ」

不愉快さのあまり肩をいからせて、航一はまたごろりと寝返りをうった。

「僕さ、君みたいに夜遊び出来る身分じゃないんだぜ。いいかげんにしてくれよ」

イイカゲンニシテクレヨ。その言葉の残酷さに麻也子は傷ついた。夫婦のベッドの上で「いいかげん」というのは、いったいどういうことであろうか。

麻也子は怒りのあまり、しばらく言葉が出て来ない。夫のパジャマの背に顔を押しつけて歯をたてる。

「あなたは賭けに負けた。しかもあっけなくね」

瞬間的な怒りがしずまった後で麻也子は腹立たしさがふつふつとこみ上げてくる。ただの一人で行なう賭けは、つまらなかった。けれど賭けに負けたことを、麻也子は密かに喜んでいる。

「生まれて初めて」ということをしたのは、いったい何年ぶりだろうかと麻也子は考える。

三十歳を過ぎてそんなことが起こるとは思ってもみなかった。

パリに行った。

スキューバ・ダイビングをした。

フグを食べた。

オペラを観た。

そうした「生まれて初めて」ということを味わえるのは、二十代のうちだけだと思っていた。初めてのことは、そこですべて終わるに違いないと考えていた。

ところがどうだろう。知らないうちに、その範囲はぐっと拡がっていったのである。

野村との行為も、文句なく「生まれて初めてのこと」になるはずだった。それは「生まれて初めての、夫以外の男とのキス」ということになる。

このレトリックは、麻也子を大層面白がらせた。あと何があるだろうかと、いろいろと考えてみる。

「生まれて初めての、夫以外の男とのペッティング」

「生まれて初めての、夫以外の男との旅行」

「生まれて初めての、夫以外の男とのセックス」

いくらでも出てくる。

そして麻也子が知りたいのは、これらのことがらは、初めて男とペッティングをしたり、旅行をしたり、セックスをした時と同じような興奮をもたらすものだろうかということである。対象や条件は初めてでも、行なうことは同じだ。それでも人間というのは、新鮮な陶酔を感じるものなのだろうか。

麻也子が目にする雑誌や本によると、夫ではない男に抱かれることは、かなりの快感をもたらすものらしい。

「夫からは得られなかった素晴らしいエクスタシーを知りました」

という告白記事をこのあいだも読んだばかりである。

が、麻也子はこういうものをあまり信じていない。マスコミというのは、いつものごとを大げさに書きたてるきらいがある。それにこうした雑誌に取材されたり、投稿したりする女は、あまり上品とはいえないのではないだろうか。

こんなことなら、友人の話をもっとよく聞いておけばよかったと麻也子は後悔した。彼女たちの中には、結婚していながら恋人を持つ女たちが何人かいたが、そのあけすけな打ち明け話に、今まで麻也子はあまり耳を傾けなかった。興味がなかったわけでもないが、そうした恋の話をする時の女が、きまってやたら露悪的になるのが嫌いだったのだ。

かつての同級生の一人は、勤めている商社の同じ部署に、年下の彼がいる。

「若いコは性急で、性急で困ってしまう」

彼女は困惑を装って唇をとがらせたが、それは卑猥《ひわい》にゆるむ自分の口元をごまかすためだとすぐわかる。

「残業で一緒になった時、エレベーターの中でとびかかってくるのよ。キスはやめないわ、ブラウスの中に手をつっ込んでくるわ、もう本当にどうしようかと思っちゃった。誰かに見られるよりはって考えてね、会議室のフロアのボタン押して、ひとまずそこへ降りたのよ。それから女子トイレの個室に入って、なんとかことを済ませたんだから」

まあ、やることが大胆なんだからと、その場にいたもう一人の女が、感に堪えぬような声をあげたが、麻也子はふうんとつぶやいただけである。知りたいのは、そんなアクロバットのようなセックスのことではない。その時彼女は罪悪感を持ったのか、夫に対して後ろめたいことはなかったか、最初のセックスの時に勇気は必要かといった、精神面での具体性である。

野村とキスをした際、快感や興奮は確かにあったが、夫に対してすまない、などという気持ちはこれっぽっちも起きなかった。それはキスという中途半端な行為ゆえのことで、セックスとなったら話は別なのであろうか。

が、麻也子はこうした質問を呑み込む。こんなことを問うてみるのは、自分が浮気をしかかっている最中だと打ち明けているようなものではないか。

麻也子はいくら親しい女友だちだからといって、こうしたことを打ち明ける気はまるでなかった。独身の時だったら、自分の恋人やそれにまつわるベッドのことをいくらでも喋ったかもしれない。が、夫がいたら話は別だ。

女友だちのほとんどは航一と会っている。彼女たちの夫と共に、時々は食事をすることもある。女というものは意地悪だ。暗号のような言葉をつぶやいてみたり、思わせぶりな目くばせをしないとは限らない。

「私は知ってるのよ」

そして航一に向かって、念入りに微笑んだりするかもしれない。

「航一さんって、麻也子みたいな奥さんを持って本当に幸せね」

おお、嫌だと麻也子は肩をすくめる。女というのは、どうしてこれほど安易に、自分の秘密を喋ったりするのだろう。何も引き替えにせずに、本心を質に預ける気持ちが麻也子にはわからない。絶対に自分の秘密を語ることなく、他人の秘密から何かを学びたい。これは決してずるいことではないと麻也子は考えている。

思慮深い者が得をするというのは、いつだってあたり前の話なのだ。

そして麻也子が選び出した相手は、竹田久美という友人だ。久美は麻也子の同級生の中では、唯一といっていいほど向学心のある女で、女子大を出た後、ある有名私大の大学院を修了した。その後、これまた有名な総研に進んだのであるが、彼女のドラマはここから始まっているといってもいい。大学院時代の恋人と結ばれた久美は既に人妻であったのだが、ここの上司と大恋愛をするのだ。すったもんだがあった揚句、久美は離婚してしまう。そうかといって相手の上司と結婚するわけでもなく、夫と別れてから五年近くたつというのに、久美は未だに独身である。

頭のいい女に限って、損なことばかりする、などという者がいるが、久美は充分に麻也子の好意の対象となっている。それは尊敬といってもよいほどのものだ。

こんなせちがらい世の中で、計算を度外視した恋をし、その結果自分の手の中には何も残らない。無ということを受け容れられる人間というのは、麻也子にとって想像も出来ないことで、その一点だけでも、久美は他の女友だちとは違う存在になっている。

麻也子は久美を、六本木の中華料理店に呼び出した。この店は久美が再就職した二流のコンサルティング会社からもすぐだ。高くて不味《まず》いという特徴も、内緒ごとにはぴったりであった。客が少ないうえに、気取ったインテリアで、各テーブルを高い衝立てが囲っている。まるで個室にいるように落ち着くのだ。

今日は私にご馳走させてと、麻也子は桂花陳酒を久美のグラスに酌《つ》いだ。

「どうしたのよ。いきなり電話がかかってきたと思ったら、ご馳走してくれるなんて」

久美は訝し気に目をしばたたかせながらも、桂花陳酒をぐっとあおる。

「もっといきなさいよ。でも、これ、ちょっと甘いわね。ビール頼もうか」

「そうね、ビール。ここは生ジョッキも置いてあるのよ」

久美は濡れた上唇をちろっと舌で確かめている。彼女が酒好きだということを、仲間うちで知らないものはいない。最初は冷静に静かに飲んでいるのであるが、やがて次第にピッチが早くなる。そしてどこかの皮膜が破れたかのように、さまざまなものが流れ出してくる。痩せぎすの久美の顔や体がみるみるうちに色づいてくる。平凡な顔立ちのそう美人ともいえない彼女に、昔から男の噂が絶えないのは、そうした落差が原因だろうとも言われていた。

この時を見計らって、麻也子は巧妙に質問を重ねていった。いつもは断片的にしか聞かない久美のロマンスは、途切れていてわかりづらい部分がある。今夜こそじっくりと丸ごと味わいたくなった。全く麻也子が、こんな風に他人の色模様に強い興味を持つのは、何年ぶりのことだろう。

そして、思っていたよりもたやすく久美は語り始めた。

麻也子は、私の別れた夫に会ったことあるわよねえ。そりゃあ、航一さんだってハンサムかもしれないけど、うちの夫だって悪くなかったでしょう。背も高かったし、実家もよかった。今だから言うけど私はね、あなたたちと違って、普通の勤め人の娘だったから、ああいういいとこのお坊ちゃまにずうっと憧れてたのよ。

ううん、違うわ。麻也子のうちは、いいとこのサラリーマン。うちの父親は勤め人よ。サラリーマンと勤め人がどう違うかっていうとね、勤め人は高卒なの。あなたたちのパパみたいに、昔でも東大とか一橋、慶応出てないのよ。高校だけなの。

だけどね、うちは父娘揃って見栄っぱりだったから、中学から無理してあの学校へ入ったわ。私はね、成績よかったけど、絶対に公立高校から国立なんてコース進みたくなかった。だってね、あの頃の私にとって、頭のいい女の子、なんて言われるより、いいとこのお嬢さん、って呼ばれることの方がずっと価値あることのように思えたんだもの。

だからね、前の夫と結婚した時、これで正真正銘、いいとこの人になれるって本当に嬉しかった。麻也子も披露宴出てくれたからわかると思うけど、彼のうちってお父さんもお兄さんもみいんな東大よね。彼だけが慶応で、肩身が狭いっていう一家なのよ。うちは都内の一軒家で、なんて、私、有頂天になってたんだけど、すぐにわかった。彼のうちなんて所詮、二流どこなのよ。まがいものにしちゃ、よく出来てるって程度。だからね、一家をあげてあんなに気取り屋で見栄っ張りなのよ。

うちも見栄っ張りだと思ってたけど、あのうちには負けたわ。姑《しゅうとめ》ときたら朝から晩まで上流夫人の演技して、それが生き甲斐になってるのよ。関係ないみたいな話だけど、私があのおっさんに走ったのも、姑が原因よねえ。だってさ、姑に箸《はし》のあげおろしまで注意されて、どういう育ちしてたのかしら、なんていうことをねちねち言われてもみてよ。もう性格がゆがんじゃうわよ。

マザコンの夫がさ、実家の近くにマンション借りたもんだから、もうたまらなかったわよね。土曜の晩は、必ずといっていいくらい実家で食事会よ。その時、長男一家としゃぶしゃぶなんか食べるんだけどさ、もう、本当に嫌だったのよ。もみじおろしのつくり方も知らないの、なんて大げさに驚かれたりしたんだから。

そうよ、うちがうまくいってりゃ、不倫なんかしないわよ。普通だったら、あんなおっさんにころりいかないわよねえ。

二人で大きな仕事して、ごほうびに食事に誘ってもらった。男と女なんて、ごはんを食べることからすべてが始まるのよ。どうってことないことしながら、いちばんすごいことに思いをめぐらすのよね。そりゃあ、私だって一回は断わったのよ、人妻だもの。人妻のくせして、最初から誘いにのったら、それはインランよ。でも私はインランじゃないから、二回めでホテルへ行った。

後で冷静になってみりゃ、半分ハゲで半分白髪のおっさんよね。でもホテルで抱き合ってる時は、もうドラマよ。運命っていう言葉が、私の頭の中でぐるぐるまわり出した。

私、あのおっさんに夢中になったわ。本当のことをいうとき、おっさんも私と結婚しようって言ってくれた。それなのにどうして結婚もしないで別れたかって。それはね、おっさんの奥さんが原因よ。

あのね、不倫っていうのは、戦う相手が二人いるの。それはね、まず、こんなことしてちゃいけないんじゃないかっていう自分の気持ちと戦わなきゃならない。それからもうひとつはあっちの妻ね。戦うっていっても、喧嘩をしたりするわけじゃないのよ。そんなことするのは、下品で教養のない女よ。

あっちの奥さんに関係を知られると、いろんな嫌がらせが始まるのよ。それにうんざりしたり、嫌気がさしたらもう終わりよ。私なんかね、これに負けたって思ってるの。奥さんから手紙が来たわ。他の人から話を聞いても、こういう時の奥さんの手紙って、ものすごい達筆なんだって。きっと腕によりをかけて、綺麗に書くんでしょうね。あなた、このあいだの何日、何々ホテルに主人といたでしょう。あなたのご主人に知れても大変なことになりますよ。ちゃんとお考えになった方がいいんじゃないですか。女教師みたいな文章だったわ。でも無視した。それから二カ月した頃かなあ、おっさんがヨーロッパ出張に行って、お土産を買ってきてくれた。すごく張り込んでくれて、グッチのバンブーよ。でも中に手紙が入ってた。私、ぞーっとしたわよね。箱を開けて、手紙入れて、また元どおりに包んでリボンかけたのよ。あの人絶対に私への土産だと思ったのね。

こんなことが書いてあったわ。

主人はあなたに、本当に気を遣うのね。でもいつまでこんなことを続けるつもりなのかしらね。

この女のしつこさに、私、負けたのよ。やっぱり子ども持ってる女の、家庭を守ろうとする力、ちっとやそっとのものじゃないわよ。それなのに私は馬鹿よね。ある時、久しぶりに要求してきた夫を拒否したの。その時おっさんとのことすべてを白状した。夫はお母さんに喋って、それで終わり。

そしておっさんは家に戻って、私はひとりになった。そう、私ってすごい大馬鹿者って皆に言われる。だけどね、私ははっきり言える。遅かれ早かれ、あの夫とは別れてたのよ。それからあのおっさんじゃなくても、誰かを好きになってた。

夫を好きじゃなくなったら、誰かを好きにならずにはいられないじゃないの。女ってそういうものでしょう。

麻也子だっていつかわかるってば。あんたみたいな気取り屋にも、きっとわかるわよ、本当よ。

竹田久美の話は、麻也子にさまざまな教訓を与えてくれた。

不倫にトラブルが発生するのは、本人たちの良心の呵責ゆえではない。相手の配偶者、主に男の妻に知られてしまうことから、多くの煩《わずら》わしさは起こるのである。そしてそれが長く続くと、女は投げやりな気分になってくるらしい。突然夫に話してしまいたいという誘惑にかられるのだ。ひょっとして恋人の、

「お互いに別れて結婚しよう」

という言葉は本当なのかもしれないと、試してみたいような気分になるのだろう。二組の夫婦四人の男女が、すべてを打ち明け合って、一から始めてみるべきではないか、などと考えてしまうのだ。

こんな愚かなことはないと麻也子は思う。つまらぬ考えを持ったおかげで、久美は愛人も夫も失い、未だに独りぼっちでいる。

「後悔はしていない」と最後に口にしたが、どうみても強がりとしか思えなかった。

自分がもし不倫をするならば、もっとうまくやると麻也子は決心する。まず夫に知られないようにする、これは原則だ。こんな人生は間違っている、自分にはもっと心をかきたててくれる男と人生が待っているのではないだろうか、というところから、麻也子のこの冒険の一歩は始まっているのであるが、確かに〝運命の男〟が現れ、それを手に入れる前に現在の夫を手放すというのは早計というものであろう。

子どもの頃読んだ「青い鳥」の物語を思い出す。青い鳥、つまり幸福を探しに旅に出

たけれど、本物のそれは家の中にあったという結末である。もちろん麻也子は、そんなつまらぬ道徳じみた結論は大嫌いだ。けれどもどれほど嫌いでも、人生というものはそういうストーリーになっているのかもしれない。いつか自分はしぶしぶながら、やはり夫しかいないと認める日が来るかもしれなかった。

そんな日のために、やはり夫は手放さずにおいた方がよい。もし麻也子が他の男によって傷つき、うちひしがれたりした時は何も知らぬ夫の元に戻ればよいのだ。だからどうしても夫との間は〝平穏〟という状態が必要だった。

そして麻也子は、自分の夫と同じように相手の妻にも何も気取られたくはない。見知らぬ女から、脅しの手紙や電話を受け取ったりするのはまっぴらだと思う。これは久美だけでなく、妻子ある男とつき合った女が誰でも言うことであるが、夫の裏切りを知った妻というのは、逆上してとんでもないことをするらしい。

「そんなに夫のことを愛しているのかというと、そうでもないのに本当に不思議ね」

もう不倫が趣味になっているのよと、仲間から陰口をきかれる独身の友人は、そんな風に言う。上品で教養がある、などと言われている奥さんが、読むだに耐えられない言葉を綴った手紙を送ってくるというのだ。留守番電話に「インラン」「さかりのついたメス猫」などという伝言を残されたこともあったという。

「でもね、そういう証拠見せても、男は絶対にこっちの味方になってくれないわよ。女房をそんなふうにした自分がいけないって思うらしいから、夫婦って本当に不思議よねえ」

怒っている風でもなく、不思議ねと何度も繰り返す友人の言葉が耳に残っている。しかし麻也子は自分が、その妻の立場になったら、という思いは全くといっていいほどない。想像の中で、麻也子はいつも被害者の立場ではなく、加害者になっている。男と女の世界において、被害者にだけは絶対になりたくないと思う。加害者こそが勝利者になるにきまっているのだ。

勝利者であり続けるためにも相手の妻に知られることは、どんなことがあっても避けなくてはならなかった。そのためには、男との密会を頻繁にしないことだ。家庭ある男と週に一度会おうとするから、いくつかつじつまの合わないことが起こってくるのだ。

麻也子だったら、せいぜい月に一度会えばよい。会ってセックスをしたらそれで充分である。麻也子は性の快楽を求めているわけではない。夫以外の男から渇仰《かつごう》され、求められたという事実だけで、あとの残りの日々を機嫌よく暮らせるような気がする。

つまり麻也子は男に溺れたくないのだ。月に一度、自分の都合のよい日に会ってくれて、不倫ということを味わわせてくれればよい。こんなふうにコントロール出来る男がいるだろうかと考えれば、やはり野村が最適だと麻也子は思う。

一度酒を飲んでキスをしただけであるが、四十を過ぎた野村はますます老獪《ろうかい》になっているようである。おそらく浮気の経験は一度や二度ではあるまい。こういう男ならば、麻也子にのめり込むはずはなかった。月に一度の逢瀬《おうせ》もさらりとこなしてくれるはずだ。初心者の不倫の相手としては、まことに理想的といってもよい。問題はいつ彼が電話をかけてくれるだろうかということであるが、麻也子はそれを一週間後とみた。若い時であったら、キスをした場合、男は次の日に必ず電話をかけてきたものだ。ひとり暮らしの女だったら、その日のうちだろう。が、野村も中年となり、麻也子は人妻である。その場合、一応〝逡巡した〟という証拠を見せるために一週間という時間は必要に違いない。

どうか十日後ではありませんようにと、麻也子は祈るような気持ちになる。その頃になると生理が始まるはずだと、心の中で計算している自分に気づき、麻也子は苦笑いしたくなる。もう自分はすっかりその気なのではないか。

電話は八日後にかかってきた。

「怒ってるんじゃないかと思って」

男は言う。

「怒る、なんてどうしてかしら。そんなこと全然ありませんよ」

麻也子は毅然とした中に、ほんの少しやわらかさを滲ませる。受話器を通す声に、ありったけの知恵を込めた。全くこんな楽しい頭の使い方は久しぶりだ。

が、男の方も相当の戦略を立てているらしい。まるでそのことが目的だといわんばかりに、いきなり問うてきた。

「麻也ちゃん、フグ好きかな」

「あら、フグを嫌いな人なんているのかしら」

「それはよかった。あのさ、東麻布にものすごくうまい店があるんだけど行かないか」

「東麻布っていったら、ロシア大使館の方かしら」

「そうそう。若い板前が今度独立したんだ。懐石の店だけど、冬はフグをやる。一度ぜひ来てくれって言われてたんだ」

「嬉しいな。フグなんてそうめったに食べられないもの」

「じゃ、待ち合わせしようよ。明日なんてどうかな」

「いいですよ」

「よかった。結構人気の店だから、さっそく予約を入れておくよ。関西風の厚くひいたものを食べさせるらしい」

「私、厚い方が好きだわ。すっごく楽しみにしてます」

男と女の約束に、食べ物を使うというのは本当に最上の手だ。うまいものの話をしながらお互いの腹をさぐり合い、そしていつしか舌の奥に唾をためていく。ある程度の年齢になると、美味と色ごとというのは、やはりワンセットにしなければいけないものだと麻也子は思う。

待ち合わせの場所に行きながら、麻也子はフグへの期待と、男への期待とが混ざり合って何度か小さなしゃっくりをした。昔から麻也子はそんなところがある。遠足や運動会の前など、緊張とうきうきした気分が高まるとしゃっくりが止まらないのだ。

熱いヒレ酒でいったんはとまったものの、よくだしのきいたフグ雑炊をする頃には、またひくひくとおかしな息づかいになった。

「大丈夫」

野村が心配そうに尋ねる。今日の彼はグレイのストライプのシャツに、派手なプラダのタイを組み合わせている。その明るい色彩は、彼のしゃっくりというものかもしれなかった。

飯倉の交差点まで歩いた。傍を空車の赤いランプを灯《っ》けたタクシーが走っていく。が、野村はそれを停めようとはしない。麻也子も同じだ。右手、いや左手でもよい、手を挙げてタクシーに合図する。そして野村に向かってこう挨拶すればよいのだ。

「どうもご馳走さまでした。フグ、とってもおいしかったわ」

が、麻也子はそんなことはしない。フグを腹いっぱい食べ、ビールの他にヒレ酒を二杯ほど飲んだ。これほど高価なもので腹を満たしたのは久しぶりのことだ。こんな気持ちょい夜に、なにも自分から幕をひくことはなかった。もう少し早く酔いがまわればよいと麻也子は思う。ふわりと体が揺れる。その揺れに任せてどこかへ運ばれ、そこがホテルのベッドというのは悪くない。迷うこともなく、駆け引きもなく、いちばん肝心なところへたどりつく……ああ、もう一杯ヒレ酒を飲めばよかったと、麻也子はまた小さなしゃっくりをする。

「麻也ちゃん……」

男は麻也子の腰に手をまわす。そうしてみると野村は大柄で、彼の腕の位置は麻也子の腰に手を伸ばしやすいちょうどいいところにあることがわかる。彼のキャメルのコートはとても手触りがよい。麻也子の手袋をしていない指は、時々なめらかな感触にあたる。こんないいコートを着ている男なら、寝てもいいかなあと、麻也子は歌うように考える。

「麻也ちゃん、僕は今、とっても悪いことを考えてるんだ、わかる」

こういう時は返事はしないものだ。運のいいことにしゃっくりも止まった。

「麻也ちゃんをこのまま帰したくない。麻也ちゃんをどこかへさらっていきたい、なんて考えるんだ。それっていけないことだよね」

「うーん、わかんない」

たどたどしい声が出た。何も自分の考えを持たない、愚かしいだけの女の声だ。麻也子は十八の少女がするように、肩をすくめて見せる。

「私にそんなこと、決められるわけがないでしょ」

なんとわかりやすい承諾を与えてしまったのだろうかと、とっさに後悔したが仕方ない。あたりはこめかみが痛くなるほど寒かった。高速道路の下は、細長い闇が続いていて、そこだけ特に濃い北風が吹いているようだ。とにかく暖かい部屋へ行きたい。そしてそこで男を焦《じ》らしながら、今後のことを考えるのも悪くないのではないだろうか。

野村は今度は力強く右手を挙げた。近づいてきたタクシーは従順に停まり、二人はそれに乗り込む。

「どちらまで」

野村は赤坂のホテルの名を告げた。昔、彼とそのホテルで何回か逢ったことを麻也子は思い出す。そうだ、こんな風に、ホテルに向かうタクシーの中で、野村は手を握ってきた。そして時々はスカートの中に手をすべり込ませて、膝小僧を撫でたりしたものだ。

男の息遣いや、肌の熱さ、指の感触といったものの記憶が一度に押し寄せてきて、麻也子は息苦しくなる。新しい男ではなく、昔の男とフグを食べたら、それはもう半分寝たことになるのではないだろうか。別れたけれど、その男とまた寝たい、と思うことほど自堕落なものはない。そして自堕落なことぐらい甘いものはない。その甘さこそは自分がとても欲しいものなのだと、麻也子はなぞなぞの答えを見つけたように頷《うなず》く。

ホテルに着いた。このホテルは地下にレストランやアーケードがあり、麻也子も何度か利用したことがある。特に最上階にあるラウンジは景色がよいうえに料理も種類が揃っていて、友人たちとの集まりに何度か使った。それなのに情事のためとなると、あたりの風景はまるで違ったものになる。いらっしゃいませと頭を下げたボーイも意味ありげに笑ったような気がする。野村がチェック・インをしている間、麻也子は公衆電話のところへいき、電話帳をめくるふりをした。

「お待ち遠さま。さあ、行こう」

いつのまにか野村は、コートを脱いでそれを肘にかけている。人前でそんなことをするなんてと、麻也子は呼吸が荒くなる。まるですぐに部屋へ行くのだと、このロビーの人々に言っているようではないか。クリスマスにはまだ間があるというものの、師走のロビーはいつもよりざわめいている。もしかすると人々は、自分たちのことを、これから密室へ閉じこもるのだとすぐに見抜いたのではないだろうか。そしてこの中に、自分や夫の知り合いがいないとは限らない。急に臆病になった麻也子に、またしゃっくりの発作がきた。ごめんなさいと、うつむきながらエレベーターの前に立った。

落ち着くのよと、自分に言いきかせる。

この上のラウンジにはしょっちゅう来ているではないか。カクテルを一杯飲みにこのホテルへ来たのだと自分で思い、そう振るまえばよいのだ。

合図の機械音が鳴って、やっとエレベーターが到着した。急いで乗り込む。どうか誰も来ませんように。〝閉〟のボタンを押そうとしたら、ぱたぱたと走ってくるカップルがいる。

「すいませーん」

しぶしぶと麻也子は〝開〟のボタンを押す。若い男と女は屈託なく、ラウンジのある最上階のボタンを押した後、背を壁につける。まるで麻也子を監視するかのようだ。エレベーターがするすると上がっていき、密室の沈黙の中、四人の男女が立っている。こうなってみると、野村の押した29という数字がつくづく恨めしい。ずらりと並んだ数字の中で、そこと最上階の数字だけがホタルのように赤く光っているのだ。

エレベーターが開いた。ホールに出る。麻也子は思う。テレビドラマでは、主人公たちはここの廊下で知り合いに見つかるのだ。ロビーならばともかく、ここで会ったらもう言いわけは出来ないだろう。

表示どおり右に曲がる。麻也子は出来たら走りたいような気分だ。今や安全地帯はただひとつ、これから男と体を合わせる二九一七号室という部屋だけなのだ。

おそらく自分はきつい表情で歩いていることだろう。ハイヒールの靴音は、厚い絨《じゅう》緞《たん》に吸い込まれて聞こえないが、自分がひどい早足でいることは、内ももの合わさるリズムでわかる。

やっと部屋にたどりついた。ばたんとドアが閉まった時、麻也子はああと安堵のため息をもらした。後ろ手で器用に野村はチェーンをかける。決して女に背中を見せまいとしているかのようだった。そしてどさりとコートを床に落とした。麻也子は抱きすくめられる。

「僕も早く二人きりになりたかった……」

麻也子のしゃっくりは完全に止まり、男の唇を受け止めている。違うのよと、どこかで小さな声がしたが、ま、いいかと安全な塹壕《ざんごう》にたどりついた麻也子はもう何も言わない。

後頭部が寒い。初めての男と寝る前はいつもそうだ。脳の後ろ半分にぴゅうっと冷たい風が吹き、そこだけ違う時間が流れていく。しかし、別の部分はひどく澄み切っていて、男の愛撫や言葉を受け止めたり、確かめたりしているのである。

野村は初めての男ではなかったが、十年の月日がたっていれば同じようなものだ。長い接吻の間に、やはり風が吹いた。

あたりはしんとしている。この巨大なホテルが実は無人ではないかと思われるほどだ。

野村の接吻はまだ終わらない。巧みに舌を使い、麻也子の口腔をまさぐっていく。まるで麻也子の舌のどこかに、とてつもなく甘美な蜜の分泌口があり、それを探《さぐ》りあてようとするかのようだ。

麻也子はこうした長い接吻がもちろん嫌いではない。長いキスは、男の誠意や期待をあらわす舌なめずりというものだろう。

やがて野村は左手を動かし始める。このあたりの時間の配分というものも非常に大切なことだ。セックスという流れの中で、キスは精神的なものを求める姿勢であり、乳房への愛撫は健やかな欲望が始まるというサインである。両の肩を抱き、長いキスをしてくれれば女は嬉しい。だがいつまでも五本の指をしっかりと固定されたままでも物足りない。ちょうどいい頃に左手が動き始めて欲しいのであるが、野村はそのスタート時の頃合いが抜群である。

十年前の麻也子にはわからなかった美徳だ。それとも会わなかった年月の間に、野村はさらなる手練《てだ》れになったのかもしれない。

野村は左手を横に滑らすふりをして、麻也子のジャケットを大きくはだける。右の方も同じ手順をとる。が、いくら野村といえども、ジャケットをすんなりと脱がせることは出来なかった。麻也子の紺色のシルクウールのジャケットは、肘のあたりでひっかかってしまったのである。

ジャケットを脱ぐことぐらい、どうということはないと麻也子は思った。中途半端にひっかかったぶざまな格好でいるよりもずっといい。だから腕を伸ばして野村の作業に協力した。これは後に、麻也子を少々反省させることになる。

こうしている間にも、二人は少しずつ移動していた。野村が唇と手を強く押しあて、麻也子が抗《あらが》うふりをしていたために、後ずさりをしていたのである。

男も、そして女も、キスに夢中になっているようでいて、距離も歩数もちゃんと計算していた。ドアの前から動いて、二人はダブルベッドの傍でぴたりと停まったのである。

野村の左手が粘り気を帯びてきたのは、麻也子の乳房の先端が著しく突起してきたためである。薄いニットを着ているから、野村にははっきりとわかるはずだ。麻也子は自分の両の胸に二人の小人がとまり、小さなペニスを見せびらかしているような気がした。

そして野村の指の動きは、男のペニスを立たせようとする女のそれの縮小だ。リズムある上下運動が始まる。麻也子の乳首が何センチも勃起するかと思われた時、野村はいきなり野卑な行動に出た。セーターをぐっと上にめくり上げたのである。真珠色のブラジャーがむき出しになる。野村がそのブラジャーのへりを下におろすと、待ち構えていたように乳房が顔を出しぷるんと大きく呼吸した。

「あっ」

麻也子は思わず声を上げる。麻也子がぼんやりと考えていた手順によれば、こうしたことはベッドに横たわり、しかるべきペッティングの後、薄闇になったところで初めて行なわれるべきことなのだ。部屋のスタンドがいくつもついている中、乳房がいきなりむき出しにされるとは思ってもみなかった。

三十二歳の麻也子のそれは、おそらく女の人生で最高の角度と張りを持っているはずであった。が、それは同時に衰えの前兆がかすかに表れているということでもあった。子どもをまだ産んでいない麻也子であったが、二十二歳の乳房の方が美しかったかもしれない。大きさは物足りなかったが、乳首はあきらかに色が変わっている。麻也子は自分の体に変化をもたらした夫のことを一瞬憎んだ。

「恥ずかしいわ。すっかりおばさんになってしまったんですもの……」

思わずみじめな言いわけをして、腕で隠そうとした。野村は再び強い力でそれを阻止する。

「そんなことはないよ、昔よりずっと素敵だよ。ずっとカッコいいおっぱいになったよ」

野村はまるで罰するように、麻也子の両手首をつかみそれを上に持っていく。バランスを欠いた麻也子は、そのまま後ろ向きでベッドに倒れた。が、その方がずっといい。明るい電気の下で上半身裸のまま、身体測定のような格好でいるよりも、ベッドに横たわった方がはるかによい。いくつかの哀願が出来るからだ。ベッドの上の女の願いは、まずたいていかなえられることになっている。時々は男から拒否されることもあるが、まずは口にしてみる権利を有することが出来るのだ。

「あかり、を、消してちょうだい……」

これは案外たやすくかなえられた。野村がベッドサイドチェストの〝ルーム〟というボタンを押すと、いくつかのスタンドはいっぺんに消えた。後はこのチェストの下から漏れる薄明りを残すだけである。

シャワーを浴びることも要求したいのであるが、それはたぶんかなえられないであろう。セックスの前にシャワーを浴びるなどというのは、夫婦か、歳月を経た恋人たちがすることである。今の野村と麻也子にとって、いちばん大切なことは、〝激情に身をまかせている〟ということを、お互いに相手に認めさせることであろう。シャワーなどというのは、やはり忘れたふりをしなくてはならなかった。

麻也子の胸の、小人のペニスは激しく吸われている。そうしながら野村の左手はスカートをずり上げ、いまパンティストッキングの中心部の縫い目に到達した。彼の指はこの縫い目どおり忠実に、縦の線を動く。麻也子は、この時初めて迷うということを思い出した。

朝のシャワーを浴びながら考えたことだ。たぶん野村はホテルへ行こうと誘ってくるであろう。今夜初めて麻也子は不倫ということを味わうことになるであろうが、まだかすかにためらう気持ちがある。一応自分は人妻なのに、他の男とセックスするようなことがあったとしたら、もう取り返しのつかないことになってしまう。が、もう既に野村とはキスを交した。それ以上のことをしてみたい思いで麻也子はうずうずしている。とはいうものの、決定的なこと、大きなものをぴょんと飛び越えることに心のどこかが、躊躇している。それはもしかすると、いつか世間や夫の航一から疑われ、問いつめられた時に、昂然と胸を張って無実を証明したいという子どもじみた願望によるものかもしれない。しかしそのためにはどうしたらよいだろうか。

最後の最後、挿入をしないというのはどうだろうか。こんな世の中である、人妻とってもキスをすることぐらい許されるべき範疇に入るであろう。そのキスの延長、乳房や性器の愛撫というのも、ペッティングということで誤魔化せるような気がする。

結局男が激怒するいちばんの原因は、自分の持ちものである妻の体に、他の男の体の一部が侵入することなのだ。男の個体が妻の体を貫くことなのである。だからそれを避け、体の表面だけを触ったり、いじったりしてもらうのはどうだろうか。野村は四十過ぎの大人である。一生懸命話せば、このような分別ある接し方をしてくれるのではないだろうか……。

だが、最後の下着を脱がされた時に、麻也子は自分のこんな考えが、いかに甘いものかということを知った。まず男の指がするりと入ってきたのである。麻也子は小さな悲鳴をあげた。もちろん嫌悪ではない。あまりにも心地よかったからである。ああ、とあえいで生唾《なまつば》を呑み込む。その何度か繰り返される小さな衝撃が体中を支配する。そのたびに血がどくどくと流れるように、ゆるやかに液が落ちていく。麻也子の襞《ひだ》と、男の指との間は、粘り気のあるたっぷりした液がさえぎっている。それなのに麻也子の襞は、このうえなく敏感に男の指の動きをとらえ震え続けているのだ。震えは、おこりとなり、麻也子の全身をつつんだ。麻也子は短い悲鳴を何度か上げ、ほんの少し気を失う。

それを合図に、野村は体を重ねてきた。麻也子の服を脱がした時よりも、はるかに素早く彼は自分のものを脱ぎ捨てている。彼の下半身はもう何も身につけていない。二つの手と口をフルに使いながら、魔法のようにいつのまにか彼は裸になっている。

指によって起こした小さな痙攣《けいれん》の波が、ざわざわと揺れる。その中をもっと強大で誇らし気なものが行進してくる。麻也子は自分が再び、たっぷりした液体をつくり出し、流すのを感じた。それは歓迎の何よりの証《あかし》である。

待ち構えていたものが、さらに奥に進もうとしている。どうして一瞬にせよ、これを省略しようと思ったりしたのだろうか。自分のいちばん欲しがっていたものではないか。

気持ちがいい？　と男が尋ね、とても、と麻也子は答える。突然謝罪しなければといら気分にかられ、麻也子は大きく足をひろげる。腰を激しく揺さぶる。自分がこれだけ歓喜に満ちていることを知ってくれれば、男もきっと許してくれるだろう。

が、いったい何のために、誰が何に対して謝るのだろう。いい、もうそんなことはどうでもよい。ただ、二度とつまらぬ考えを持たないよう、自分は溺れなくてはならない。

自分がつくり出した液の中で、麻也子は溺れるのだ。だから、ああ、素敵と麻也子は声を上げる。それは大層すんなりと出た。

夫の航一はとうに眠ってしまったらしい。寝室のあかりが消えている。麻也子は仲間の女たちに聞いてみたいのだが、妻が他の男と何かした夜というのは、夫たちはなぜ早々と床につくのだろう。先日野村とキスをした時もそうであった。

まるで罪を犯した妻たちに、たっぷりの隠匿の時間を与えるかのように、夫たちは安らかな寝息をたてている。

音をたてないようにして、寝室から着替えを取り出した。バスルームに入り、湯の栓をひねる。湯船のふちに腰かけて、麻也子は湯が満たされていくさまを見つめている。

大変なことをしてしまった。自分は不倫というものをしてしまったのだ。最初はペッティングぐらいにしておこうかという目論見《もくろみ》も、あれよあれよと進行する男の前にはひとたまりもなかった。いや、それよりも自分に拒否する気などまるでなかったのだ。

本当に不倫をしてしまった。昔なら罪になったほどのことをだ。もしこのことを夫が知ったとしたら、大変なことになるだろう。まさか殺されやしないだろうが、離婚ということにはなる。間違いない。自分はそれほどのことをしてしまったのである……。

麻也子は自分を責めようとした。ことの重大さを確認しようと眉をひそめてみた。しかしまるで現実味というものがわかない。

大変なことをしてしまったという声の裏側で、さまざまな声が楽し気に響いてくる。

——みんなしてることじゃないの——

——夫に知られたら困るって、いったいいつ、どんな風に知るっていうのよ——

——黙っていさえすればわからない——

——何の証拠だってありやしないのよ——

それはそうだ。野村も妻子があり、社会的立場のある男である。今夜のことは、麻也子が口をつぐんでいさえすれば、完璧な秘密となる。完璧な秘密というのは、〝無〟ということに等しい。何も心配することはないのだ。

麻也子はセーターを脱ぎ、下着姿となった。こうした半裸の自分を鏡で見るのは、まるで返ってきた採点済みの答案用紙を確かめるようなものだ。ああすればよかった、こうすればよかったと悔いが残る。この悔いというのは、してきた行為の悔いではないことに麻也子は気づく。もう少しダイエットをしておけばよかった、もっとセクシーな下着をつけておけばよかったという前向きの悔いなのだ。

たぶん自分はこれからも野村に会うだろうと麻也子は思った。

バスルームの扉を開け、栓を閉める。ブラジャーとパンティを脱ぐ。麻也子の手が止まる。さっきホテルであったことの痕跡《こんせき》を伝えるものがあった。ブラジャーとお揃いの真珠色のパンティにしみが拡がっていたのだ。生理の前の分泌が多い時にも、こんなねっとりとした大きなしみをつくったことはない。

麻也子はパンティとネットに入れたストッキングを、洗たく機の中に放り込んだ。ついでに使ったバスタオルも入れたのは、主婦のいじましさというものかもしれない。

洗たく機がまわり出したのを確かめて、ざぶんと湯船の中に入った。湯の中で、股間に触れてみる。小さな泡がひとつ出たが、それだけであった。野村はきちんと避妊をしてくれたから、この中に残っているものは何もないはずであった。

次に湯船から上がり、髪も洗った。体中のあらゆる凹んだ部分を石鹸を泡立て念入りに洗った。汗や体液というものも、これで流れ消えたはずである。

ゆっくりと湯船につかり、外に出たら洗たく機は既に停止していた。中からパンティを取り出す。さっきのシミはあとかたもない。

「なあんだ」

麻也子はにっこりと微笑んだ。

「これですっきりとしたじゃないか。お風呂に入って着ていたものを洗う。あっという間に何も残らないじゃないか」

麻也子はパジャマを着て、寝室へ向かう。最後にハードルがひとつだけ残っている。それはまっすぐに夫の寝顔を見られるかということだ。航一は枕にべったりと頬をつけて眠っていた。ほんの少し唇がゆるんでいて、そこから何かが垂れてきそうだ。その寝顔を愛らしいと麻也子は思い、そんなことを感じることの出来る自分に充分に満足した。

その夜、麻也子は自分で自分の免罪符をつくり、すぐに安らかな眠りにおちたのである。

第四章　華やぎ

結婚してからというもの、麻也子は正月が大嫌いになった。毎年夫の航一と、泊まりがけで彼の実家で過ごさなくてはならないからである。

地方にあるわけでもない、しょっちゅう週末に出かけている東京の実家だ。どうして泊まらなくてはならないのだろうかと、麻也子は不満でたまらぬ。これも結婚した最初の年に、ちょっといい顔をして、あちらの習慣に従ったためである。

水越の家では、大晦日の真夜中にそばをすすり、元日の早朝に皆で祝い膳を囲む。このスケジュールをこなすために、麻也子は夫の実家という、東京でいちばん楽しくない場所に一泊しなくてはならないのだ。

救いといえば、姑《しゅうとめ》の綾子がほとんどおせち料理をつくらないことであろう。何かの本からの受け売りに違いないのであるが、

「おせちなんていうのは、日本が貧しくて、ご馳走を食べられなかった頃のなごりよ。あんなものに固執してもつまらないじゃないの」

と、航一の結婚前から、それをつくるのをやめているのだ。その代わり、大晦日の朝に、綾子はローストビーフを焼く。何でもサンフランシスコに駐在していた頃のなごりだそうだ。

「これにワインでも飲んだ方が、ずっとしゃれたお正月っていうものよね」

と得意そうに肉汁をかけていくのも毎年のことである。ハイカラに徹するならば、一家揃って屠蘇《とそ》を飲むなどという習慣もなくしてほしいと思うのであるが、これは航一の父方からの習慣だという。

「私がお嫁に来た頃はね、お姑《かあ》さんも元気だったから、そりゃあ厳しくてね。お雑煮に入れる野菜も、あれとこれ、大きさもこのくらいって決められていたのよ」

正月に聞く姑の言葉は、すべて癇《かん》にさわる。昔に比べて、今の嫁というのはなんと幸せだろうかという思いを、そっと舌の裏側にひそませているからだ。

その他、気にくわないことは山のようにあって、麻也子はどうして新年早々、こんな嫌な目に遭わなくてはならないのだろうかと本当にうんざりする。しかし、最初にこの二日間の義務を果たしておけば、後は適当にやっていけるのではないかと麻也子は考え方を改めた。

正月の二日間だけ我慢するのと、夫の実家へ週末ごとに行かなくてはならないのと、どちらをとるかと言われれば、麻也子はやはり正月の二日間を選ぶ。要は時期の問題ではなく、回数の問題なのだ。

元日の朝は、いつものダイニング・ルームではなく、座敷で食事をとる。舅《しゅうと》と航一はネクタイなしのジャケット、姑と麻也子はワンピースという格好である。一度セーターを着て席に着こうとしたら、大げさに驚かれた。

「麻也子さん、お正月ですもの、きちんとしましょうよ」

この〝きちん〟のために、麻也子はホットカーラー持参で、夫の実家へ泊まらなくてはならない。全く苦労の多い新年の幕明けとなるのだ。

「あけましておめでとうございます。今年もよろしくお願いいたします」

中年の女がそうであるように、綾子もこうした芝居がかったイベントが、決して嫌いではないらしい。声を張り上げて挨拶をした後、こんなことまで言い出す始末だ。

「今年の抱負をひとりずつ言いましょうよ。まずパパからね」

小学生じゃあるまいしと、麻也子は噴き出しそうになる。抱負ということは希望ということであろう。希望は秘密と同義語だということを、この女は知らないのだろうか。秘密を皆に披露する者などいるはずがないではないか。

案の定、舅はゴルフの腕を上げたいなどとつぶやいたぐらいで誤魔化し、航一でさえ体重を落としたいなどと愚にもつかぬことを言う。

「そうですねえ……」

自分の番となって麻也子は考えるふりをする。昨年の暮れに、ついに浮気を体験した。今年はもっと強烈なセックスをしたい、などと言ったら、姑はどんな顔をするであろうか。おそらく卒倒するか、気が狂ったような叫び声をあげるかのどちらかであろう。麻也子は自分の想像に思わずにっこりとする。あまりの楽しさに、心にもないことを平気で口に出来た。

「今年は時間をつくって、お料理を習いに行きたいですね。それとも、英語をちゃんとやり直すのもいいかもしれない」

「麻也子さんたら、あら、あら」

綾子は〝困った嫁ね〟という風に、軽く睨む。最近濃くなったアイラインが皺と共にゆっくりと動き、麻也子はあと少しで祝い箸を落とすところであった。

「麻也子さん、今年はもっとしなくちゃいけないことがあるでしょう。子どもはどうするの。今年、あなたは厄年《やくどし》なのよ。こういう時こそ、頑張って人生を変えなきゃね」

また始まったと麻也子は思う。航一の姉一家のアメリカ滞在が延びるとわかった昨年の暮れ頃から、姑は孫のことを露骨に口にするようになった。この頃はすべてそこに帰結するといってもよい。まるでなぞなぞの答えがひとつしか用意されていないかのようだ。

「若い人には若い人なりの計画があると思って、今まであんまり口出ししたこともないけど、いい機会だから言っとくわ。なんだかあなたたち二人を見ていると、危なっかしくて不安になるのよ。夫婦として、地に足がついていないっていう感じ。今だけ楽しけりゃいいっていう姿勢が、私にはとっても気になるのよね」

不意に野村の指を思いうかべる。女扱いのうまい男というのは、どうして指が綺麗なのだろうか。爪も綺麗に手入れされている。指というのは、煙草やコーヒー茶碗を持つためだけにあるのではないことをよく知っているかのようだ。

特に野村の中指といったらどうだ。それは麻也子の体の入り口に触れたかと思うと、突然長くなるかのようである。元旦の朝日を浴び、正月の膳と姑を前にした麻也子は、野村のよくしなる中指のことを考える。それは姑への復讐という域を越え、確かな快感を麻也子にもたらす。

「航一は黙ってらっしゃい。そりゃあ私も、正月そうそうこんなお説教がましいことを言いたくないわよ。だけど麻也子さんがあんまり呑気なことを言ってるからひとこと言いたくなるの。ねえ、あなたたち、子どもや生活のことをちゃんと考えているのかしらねえ……」

誰にも所有されず、誰も見ることが出来ない脳の私有地の中で、麻也子は次から次へと寝た男のことを思い出す。姑がもし超能力者だったら、自分は殺されるかもしれない。それほど卑猥なことを考える。

「ねえ、麻也子さん、人間いつかは、子どもを持って親にならなきゃいけないのよ。それでこそやっと一人前になれるのよ。あなたたちみたいに、自分の好きなことをして気ままに暮らしていたら、そりゃあ楽しいと思うわよ。でもね、それじゃ一人前じゃないの。夫婦でもない、単に男と女が同居しているだけなの」

姑は舅に、クンニリングスをしてもらったことがあるのだろうかと麻也子は考える。野村の舌といったら最高だ。航一も恋人時代は、たっぷり麻也子に奉仕してくれたものであるが、最近はさっぱりである。夫婦と恋人との違いというのは、舌を活躍させるかどうかということにかかっているのではないかと、あの夜以来麻也子は思うようになった。シャワーを浴びていないからとぴったりと閉じた麻也子の膝を、野村は無理やりこじあけた。そして何のためらいもなく顔を近づけてきて、麻也子はああと叫び声をあげたものだ。野村の指は硬いが、舌は大層やわらかい。そして熱い。この世でいちばん下品で飢えた野良犬が、ミルクの皿をさらうようにそれは動く。

時々ひやりとした感触をあの時感じたのは、麻也子の脚が大きく拡げられていたからだ。今まで重なって隠れていたいくつかの襞《ひだ》が、外気にさらされて、くしゃみのような痙攣《けいれん》をする。とても冷たい。それなのに野村の舌があるところはとても熱い。とても狭い場所なのに、ひどく冷たい場所と、ひどく熱い場所が隣り合う。その差にこらえられなくなって麻也子は身をよじる。あの気持ちよさといったら……。

「私もねえ、新年からちょっと言い過ぎたかもしれないわ。ま、この件は後でゆっくり話しましょう。麻也子さん、このローストビーフ、取りわけてくれない。今年は特にうまく焼けたでしょう。あっ、クレソンもたっぷり付けてね」

麻也子は即座に尻を浮かす。先ほどから、じっと正座しているのが本当に耐えられなかった。舅と姑の前で、麻也子はすっかり欲情していたからである。

予感はあった。おそらく仕事始めの日に、野村から電話が来るのではないかと、麻也子は考えていたからである。

ホテルに行った夜から、二週間以上の日にちが流れている。正月休みがあったために、自然と間隔が開いてしまった。セックスをしたばかりの男にとって、こういう長さは結構苛立たしかったのではないかと麻也子は思う。それより何よりマナーとして、

「会いたかった、つらかった」

というポーズを、男は女に示さなくてはならないはずだ。

「もし、もし、水越麻也子さん、いらっしゃいますか」

このあいだもそうだが、野村は麻也子の姓を言いづらそうに発音する。結婚して姓が

変わった麻也子に対し、まるで自分の知らないうちに不当なことが行なわれたかのようにだ。

「あ、私ですけど」

そう言って、自分がほんの少し照れていることに麻也子は気づいた。

「あっ、野村です。あけましておめでとうございます。今年もよろしくお願いいたします」

「あけましておめでとうございます。今年もよろしくお願いいたします」

麻也子は思わず苦笑いする。何の考えもなしに舌にのせた言葉であるが、

「今年もよろしくお願いいたします」

などというのは、自分たちの場合、あまりにも多くの意味を持ち過ぎるようだ。

「今日は無理かもしれないけど、明日かあさって時間つくってくれませんか。新年会ということで」

野村も野村でおかしなことを口にした。

「今日でもいいですよ」

と麻也子は言った。今さら気取る必要もないだろう。

「今日ですかあ」

受話器の向こう側で、ほんの少し沈黙と思案があった。おそらく仕事始めで同僚との約束がもう出来上がっていたのだろう。社交と麻也子の肉体を一時秤《はかり》にかけ、彼は両方

とることに決めたらしい。

「遅い時間になってもいいだろうか」

「構いませんよ。私も会社の人に食事誘われてるから」

「じゃあ、九時にこのあいだのホテルのバーということで」

電話を切った後で、麻也子は簡単な謀略をめぐらす。今日は航一も遅くなると言っていた。麻也子の方も深夜帰宅しても何の問題もないだろう。新年会の流れで同僚とカラオケに行ったと言えばいい。本当にカラオケぐらい、言いわけに便利なものがあるだろうか。あっという間に時間がたつものだということ、途中で切り上げることがむずかしいものだということは誰もが知っている。疲れ果てた顔をして家に帰っても、全く怪しまれることはない。

もしかすると自分のように秘密を持っている多くの女が、カラオケを理由に使っているのではないかと、麻也子はふふっと小さく笑った。その笑いがいつまでも顔に残っていたらしい。

「あれ、なんだか水越さん、楽しそうですね」

会長への年賀状を届けに来た総務の男が声をかける。

「よっぽどいいお正月だったんだ。旦那さんと外国へでも行ったんですか」

「ご冗談でしょう」

麻也子はわざと大きく頬をふくらませた。

「夫の実家へ行って、最悪のお正月だったわよ。楽しいことなんか何もありゃしない」

「ふうーん、そうですか」

入社三年めか四年めといった総務の男は、これといった反応も見せず年賀状の束を置いていった。

それを仕分けながら、麻也子はいつのまにか唇で小さくリズムをとり始めた。昔の流行歌だ。確かキスの味はレモンのようだという詞であった。

自分のこの快活さは、麻也子を少々気恥ずかしくさせる。たった一回、他の男と寝たことで、麻也子はすっかり幸福になっているのである。いや、これはまだ幸福とはいえないかもしれない。幸福と呼ぶには、麻也子のしたことは少々不道徳でもある。これは高揚と呼んだ方が正しいかもしれぬ。

しかしあの快楽は、何の不都合もなかった。麻也子は記憶を小出しにして、楽しんでいる最中というのに、それはまた今夜与えられそうな気配なのだ。

実に供給がうまくいっている。そしてそれは麻也子が望みさえすれば、今後もいくらでも味わうことが出来るのである。これが高揚でなくて何だろうか。

浮気がこれほど自分を明るくしてくれるとは、麻也子は考えもしなかった。これでは世間の女たちが、こぞって他の男を求めるはずだと思ったら、また笑みがこみ上げてくる。

バーへ上がるホテルのエレベーターの中で、麻也子は自分の背が、先ほどからかすかな痛みを持っていることに気づく。

どうやら新しいブラジャーのサイズが合っていないらしい。イタリア製のそれは、バラ色をしていて、同じ色の花の刺繍がところどころ浮いている。きゃしゃで美しい形なのだが、カップの底辺にはワイヤーがしのばせてあって、ぐいと胸を持ち上げる仕組みになっているのだ。ワイヤーの締めつけが背中にまわって、麻也子に痛みを与えている。

しかし痛みは決して不快ではない。自分をきりりと締め上げ、飾り立てていることの実感が伝わってくる。ニットに包まれた麻也子の胸は、前回よりも高さと角度を持っているはずである。他に客がいないのを幸い、麻也子はコートの下から自分の胸にそっとも触れる。おそらく今夜、昼の次に男が触れるだろう場所は、弾力があって暖かい。しかもワイヤーという装置も気づかれないはずである。麻也子はひどく生まじめな表情で、いくつかの点検を済ませた。そして安堵して、ひとり頷く。

そもそも今朝クローゼットの中から極上の下着を選び出した時から、麻也子の不倫は始まっているのである。レースや絹に触れながら、麻也子は超能力者のように、今夜ベッドの中で行なわれるだろうことを予想する。それに手をかける男の指が見える時さえある。ほんの十秒ほどの間に、麻也子はさまざまな場面を見て、呼吸を荒くする。それは欲情というもののいちばん小さなかたちであった。

たいていの男たちは、その時許してもらったと考えているが実は違う。女たちの許しというのは、それより十時間前、下着を手にとった時に行なわれているのだ。

エレベーターが開き、麻也子は最上階に足を踏み入れる。このホテルのバーは、料金が高い代わりに、テーブルの間をたっぷりとってある。おそらくカップル用に違いない。窓際の小テーブルに座り、野村は本を読んでいた。やや腹をつき出しているようにしているのが気になるが、今夜のスーツはとてもよい。上品な艶のある紺色のそれは、肩のあたりが綺麗な線を見せている。急に決まったデートであるが、予感があって彼は気に入りの一着を選んだに違いない。女の下着にあたるものは、男の場合スーツではないだろうかと麻也子はふと思う。

麻也子の気配を感じた野村は、本を閉じてこちらを見た。本には銀座の有名な書店のカバーがかかっている。とっさに閉じられた本は、麻也子を一瞬拒否したかのようである。

「何を読んでるの」

断わりもなく、麻也子は本の扉を開けた。近頃話題になっている翻訳本だった。哲学をミステリー仕立てでわかりやすく解説したものである。

「ふうーん、ありきたりの本を読んでるのね」

わざとぞんざいな声をあげた。

「ベストセラーは、出来るだけ読むようにしてるんだけどね。これが時間がなくてむずかしいよ」

「無理して本なんか読むことないじゃないの」

「そうは言ってもね、僕ぐらいの年齢だと、まだひけめがあってね。読んでなきゃまずいかなあって思う本にいつも追われてるよ。本当は楽しんで読まなきゃいけないのにまずいな」

「私なんか、この頃忙しくって、とても本どころじゃないの。別に本読まないからって、困るわけでもないし」

本がきっかけとなって、スムーズに会話が始まり、おかげで、初めて寝た男女が、次に会う時の気まずさが失くなった。野村とは初めてというわけではないが、十年近い歳月があった上に、麻也子は人妻である。さまざまな逡巡《しゅんじゅん》や思惑があってしかるべきであろう。とても若い頃のように、すんなりとことは運ばないと思っていたのであるが、そんなことはなかった。水割りを二杯飲んだ頃、野村は切り出してきた。

「今夜は何時頃まで大丈夫なの」

「もう大丈夫じゃないわよ」

麻也子は肘《ひじ》を曲げて、自分の腕時計を相手に見せた。待ち合わせが九時だったから、今はもう十時近い。

「もうとっくに、大丈夫の時間は終わってるわよ」

「じゃあ、心おきなく遅くなれるってわけなんだ」

野村はその時、にやりと笑った。まだ若かった麻也子を、不安にさせた笑いである。あの頃男からこぼれ落ちるたっぷりとした自信は、その奥にあざとく暗いものが潜んでいるような気がしたものだ。

しかし今の麻也子には、その自信が都合よい。この男は、その自信ゆえに、決して自分を追ったり、責めたりしないはずである。不倫をする者にとって、これほどの美点があるだろうか。だから麻也子もその自信を裏づけるように微笑んでみせる。

「野村さんって、いつも自分に都合のいいように解釈するのね」

「そんなことないですよ。いつだって僕はびくびくしてますよ」

彼が突然丁寧な口調になるのは、欲望を刺激されたからだということを、既に麻也子は知っている。今の自分の笑顔が効いたらしい。

「ねえ、麻也ちゃん、部屋とってあるんだけど、そこでもっとゆっくり飲み直しませんか」

しかし声は全くうわずったりしない。さすが年の功というものであろう。もちろん返事はしないが、男につられて、という風に麻也子は立ち上がる。

口説きもためらいもなく、ごく当然のように二人は七階下の客室へ入る。麻也子は部屋へたどりつくための、駆け引きや言葉のあやとりが決して嫌いではない。自分の目や唇の動き、髪の揺れ方で、男の勇気が、深くなったり、淡くなったりするのを見るのも大好きだ。しかし今夜のように一連の行為がなめらかに行なわれるというのは、二人が親密になったということに他ならない。ましてや麻也子は人妻である。いつも時間がない。従って情事までの道順が、このように簡素化されるのは、歓迎すべきことであろう。

部屋に入ったとたん、野村は長い接吻をする。彼も少し急いでいるようだと麻也子は思った。

野村は麻也子の胸に手を伸ばす。自分の考えていた手順で、ことが始まることに麻也子は満足する。しかし、この満足はあまりにも他愛ないものではないだろうか。自分は人妻だというのに、このような危険に身を置いているのだ。もっと大きな満足があってもしかるべきではないか。考えてみると、野村とのセックスも、手練《てだ》れたものとはいえ、ごくオーソドックスなものである。確かに大きな快感はあったが、世の中にはもっと途方もない単位のものが存在していたらしい。

雑誌で読んだあれらのことを、試してみようかとふと麻也子は考える。ＳＭや器具を使ってするセックスのことを、麻也子は自分とは遠いものと長いこと思っていたが、不倫という器の上に置いてみれば、それほどとっぴなものではないような気がする。

「毒を喰らわば皿まで」

そんな言葉が不意に浮かび、麻也子はうろたえる。これではまるで、自分がひどい淫乱女ではないか。夫とは出来ない体位を、他の男と試してみようなどという発想をするのは、三カ月前の自分からは考えられなかった。

男に乳首をいじられながら、麻也子は「悔い改める」ということをする。いくら納得ずくの情事だといっても、SMのことを考える自分は冷めているような気がする。芝居でもいいから、精神的な色づけは必要なのではないだろうか。

「麻也ちゃん、本当に素敵だよ。たまんないよ……」

そんな風につぶやく男に、麻也子はふと問うてみる。

「ねえ、でも愛してるわけじゃないでしょう」

〝愛してる〟という言葉の持つ滑稽さに、発した本人がいち早く気づき、麻也子は顔を赤らめた。

野村の指が止まり、彼は麻也子を見つめる。突然舞台に立たされた人のように、彼は今必死だ。何とか的確なことを言おうと、頭の歯車がものすごい早さでまわっているのがわかる。まるで音が聞こえてきそうだ。しかしすぐに口を開けた。

「いや、僕はいっさいそういうことを考えないようにしてる……」

彼は舞台裏をいっさい見せないおごそかさで言った。

「ダンナさんのいる麻也ちゃんのこと、そういう風に考えちゃいけないって、ずっと自分に課してるんだ」

麻也子は野村の首に手をまわし、唇を激しく吸った。その言葉に感動したのではない。とにかく野村は気まずさという窮地を救ってくれた。そのことに感謝したのである。


航一はベッドで本を読んでいるところであった。この本もカバーがかかっていて、本の名前は見えない。

「僕もさっき帰ってきたとこだよ」

頰と口元がゆるんでいるところを見ると、かなり酒を飲んできたのであろう。しこたま酔っぱらった航一は、本を手にとり、ぱらぱらとめくりながら眠る癖がある。

「全くさあ、仕事始めっていうのは、憂うつな気分になるよなあ。また大嫌いなこいつと働くのかとかさ、いろいろ思っちゃうとさ、やりきれないよなあ」

歯をしいーっと吸いながら言った。その男のことを何度か聞いたことがある。直接の上司である部長と、以前から航一はそりが合わないのだ。

「もしかするとさ、オレ、今年こそどっかに飛ばされるかもしれないよな。今日もさ、いつもの連中で飲んだんだけどさ、みんな薄々そんなこと感じてるみたいなんだなあ。

もし一人、どっか行かされるとしたらオレだなあって、みんな思ってるみたいだなあ」

「そんなこと、考え過ぎだってば」

麻也子は羽毛布団の上から、軽くぽんぽんと叩いてやる。すぐに洗面所に行き、残っているかもしれぬ証拠を消すつもりだったが、この暗さならどうということもないだろう。寝室は本を読むために小さなライトがついているだけだ。

「航ちゃん、毎年仕事始めの日に、同じこと言ってるわよ。だけどちゃんとしてるじゃない。あのね、人なんていうのは、こっちが嫌ってるほど、相手は嫌われてるなんて思ってないの」

そんなことはもちろん嘘である。が、一晩中口から出まかせを吐き続けてもよいと思うほど、麻也子はいま夫に対して優しい気分になっているのだ。

航一とてさまざまなストレスを抱え、会社でつらい思いをしていることであろう。しかし彼を慰めてくれるものは、家族以外これといってないのだ。ゴルフもそう気を入れている様子もないし、釣も早々にやめてしまった。夫の性格からして浮気ということはまずないはずだ。これは妻の強がりというよりも、女の直感というやつである。

つまり夫は、麻也子が持っている幸福を味わっていないのだ。いくら結婚をしていても、他の異性に心を燃やし、抱かれたいと願う。そしてそれがかなった時の満足感と、肉体の充足。航一はこうしたものと無縁で、一生を過ごしていくのだ。

麻也子は自分だけ、この喜びを知っていることに後ろめたさを感じ始めている。しかし夫に勧めることは出来ない喜びだ。

——あなたも浮気していいのよ——

などという妻が、この世のどこにいるだろうか。この幸福になる秘訣というのは絶対に口にしてはならず、配偶者に知られたとたん、効力を失うばかりでなく、大変なリスクを背負うことになるのだ。

「あなたは、この頃酔っぱらうとさ、悲観したり愚痴っぽくなるの、よくないと思うわ。とにかくもう寝なさいよ、ぐずぐず本なんか読んでないでさ」

麻也子はライトスタンドを消す。闇の中で夫の布団が白くこんもりとしている。

麻也子は夫に対して、さらに優しい気持ちになった。

この夫《ひと》は、私のことを許してくれているんだ。

知らないということは、許しであり、祝福なのだと麻也子は考える。麻也子だけが恋を享受し、セックスの歓喜に震えている。もし夫が自分に対して調査をすれば、すぐにわかる行状だ。しかし航一がそんなことをするはずがなかった。永遠にだ。

だから麻也子の幸福は永遠に保たれることになる。麻也子は自分のこの幸福に、夫が消極的に加担してくれていることに気づくのだった。

「ねえ、ねえ、航ちゃん。あったかくなったらさ、一泊のドライブに行かない。伊豆とか熱海にさ」

「うーん、めんどうくさいかなあ」

「いいじゃない。私が運転を替わるわ。温泉入って、おいしいものを食べようよ」

「考えとく……」

夫の言葉はそこで消えた。麻也子は布団をさらに上に持ち上げてやる。夫の顎《あご》の肉に軽く触った。二時間前に触れた顎とは違う。航一の方が肉が硬く髭が濃い。

麻也子は、他の男に「愛しているか」と問うた罪をあらためて思った。その言葉は、やはり、夫のためにだけ使用すべきではなかったか。肉体自体は構わないだろうが、夫だけにしか使ってはいけない言葉はこの世にいくらかはあるのだ。

「航ちゃん、ごめんね……」

その時、麻也子の胸に、あれほど畏《おそ》れ、あれほど憧れていた「反省」というものが訪れたのである。それはとても淡く弱々しいものであったが、とにかくその夜、夫の羽毛布団の上に舞い降りたのである。

麻也子は確かに「反省」という気持ちを経験した。しかしこれで野村と会わないかというと話は別である。

麻也子はひとつの想像をする。それは彼からの誘いに、いっさい応じない自分だ。

「やっぱりもう会わない方がいいと思うの。だってお互いに結婚しているんですもの」

いつかテレビドラマで、少しとうの立ち始めた人気女優が口にしたセリフを、麻也子もつぶやいてみる。麻也子が実際にこう言えば、野村はおとなしく引き退《さ》がるであろう。そして麻也子は、そう多くはない甘い思い出を胸にしまって、以前の生活に戻ることになる。そう、野村とのセックスは思い出に変わるのだ。それはなんとつまらぬことだろう。

野村とのセックスは、時折麻也子の生活に射し込んでくる強い色彩である。今や麻也子の生活の一部にこれは組み込まれつつある。この色彩や明度のひとつひとつを思い出しては楽しむことができるのは、これが定期的に訪れるとわかっているからだ。

麻也子が人生で身につけた智恵によれば、甘美な思い出などと呼ばれるものは、すべてを失くしてしまった者のひとりよがりである。それよりももっと小出しにして楽しめる記憶の方がよい。しかしこの記憶というものは、せいぜい一カ月の命しかもたない。だから一カ月に一度、経験を供給しなければならなかった。当然のことながら野村とは会い続けることが必要である。

それにと麻也子は思う。野村とのことはそれほど深刻に考えるべきことだろうか。自分さえ黙っていればよいのだから、努力してまで野村と別れる必要などないような気がする。これまた麻也子の人生哲学によれば、歯を食いしばってまで捨て去らなければならないものは、この世にいくらもありはしないのである。ましてやその捨て去ろうとするものは、快楽や興奮だ。こうしたものを無にするには、もっと大きな理由が必要ではないか。自分がたまたま抱き始めた「反省」ぐらいでは、まだ弱いのである。

そんなわけで麻也子は野村と会い続ける。彼からはひと月に二回ほどの割合で電話がかかってきた。待ち合わせの場所はホテルのバーか、街中にあるティールームである。ホテルのバーで会う時は、どちらかの時間がない時で、そのまま部屋に直行する。ティールームで会う時は食事に出かけた。

たいていのマスコミの男がそうであるように、野村も美食家でうまい店をよく知っている。夫婦だけでやっている四谷のカウンター割烹《かっぽう》や、青山の住宅地の中にある一軒屋のステーキハウスというところに麻也子を連れていってくれた。

野村の食べるさまを見るのが麻也子は好きだ。太いよく通る声で、ウエイターにメニューを注文する。そして料理が来るまでの間、酒を適度なピッチで飲み始める。それは日本酒の時もあったし、ビールの時もあった。アルコールが入ると、野村はいささか饒舌《じょうぜつ》になる。

その夜の話題は、野村が手がけている企業がCMに起用しているタレントの話であった。以前風俗めいた店に勤めていたとか、暴走族に入っていたなどという噂が、週刊誌をにぎわせたことがあるが、それが彼女の場合、プラスの方向に働いた。あっけらかんとした言動や、結構鋭いところをつく毒舌が、人気をあおったのである。何より彼女は抜群のプロポーションと、こづくりの可愛い顔を持っていた。茶色に染めた髪もよく似合っている。

「私もあのコ、嫌いじゃないわ。下品な女、っていう人もいるけれど、悪びれなくて面白いじゃないの」

「それがさ、悪びれてなくていろんなことをするから困っちゃうのさ」

ＣＭを撮っている最中、化粧を直すという名目でヘア・メイクの男と何時間も部屋に籠《こ》もったきり出てこない。そして時折、嬌声やくすくす声が聞こえるというのだ。

「随分大胆なことをするのね」

「いやあ、そういう若いタレントはわりと多いよ。彼らはね、ああいうふうに見えてもものすごくデリケートなんだよ。愛想よくふるまっていても、内心は人見知りでびくびくしている。そういう時、ヘア・メイクっていうのは、唯一の味方になるからね。一室に閉じこもって、髪や肌に触れてもらいながら、悩みごとを聞いてもらう。それだけで安心するんだろう」

「だけどヘア・メイクの男っていうのは、ホモが多いって聞いたわ」

「いやあ、この頃はそうでもないよ。野心的で男っぽい男も結構入ってきているんだ」

「ふうん……」

麻也子はテレビでしか見ていないひとりの女を思いうかべた。カメラマンやスポンサー、広告代理店の男たちがずらり居並ぶ撮影現場というのはさぞかし緊張するものであろう。そこで彼女はメイクルームに飛び込む。そしてぴっちりとドアを閉める。その小部屋には男が待っている。疲れただろうと言って肩を揉んでくれる。髪を梳《す》いてくれる、マニキュアを丁寧に塗ってくれる。それは考えるだに官能的な光景であった。

もしかするとメイク室というのは、ホテルの部屋に似ているのかもしれない。人の目をさんざん気にしながら、とにかくそこへたどりつく。そして鍵を締める。男と二人っきりの部屋だ……。

「さあ、もう出ようか」

野村が伝票をすっと引き寄せる。麻也子はこの時の彼の指の動きも好きだ。何の躊躇もない。力強く中指が伸びて、それを滑らせるのだ。会社の男たちと飲んだり食べたりしたらこうはいかない。せめて割り勘にしてくれないだろうか、気前のいい誰かが持ってくれないだろうかと、彼らはコートに袖を通すふりをしながら、伝票をテーブルの上に放置することがよくある。

当然のことのように男がつかむ伝票というのは、ひとつの幸福のかたちである。誠意や優しさなどというよりももっと強いかたちだ。そのたびに麻也子は肉体的に結ばれている自分たちのことを思う。妻や恋人ではないかもしれないが、麻也子が野村の「女」であることには間違いないのだ。古代から男たちは自分の女のために獲物を狩り、それを持ち帰った。好きな女のためにものを食べさせる行為には、どこか崇高なにおいがする。

まことに浅はかなことであったが、麻也子は自分のこの幸福をさらに強固なものにしようとした。ある会話を設定したのである。たまには払わせてよと麻也子は言い、そんな必要はないと野村は言う。じゃ、せめて半分取って。いつもご馳走になりっぱなしじゃ悪いわ、私だって働いていているんですもの。君と会ってるだけで嬉しいんだよ、そんな真似をすると本当に怒るよ……。

自分の描いたシミュレーションに、まずうっとりと酔うのが、最近の麻也子の癖である。そして言葉に出して言った。

「たまには私に払わせてよ」

「いいよ、そんなこと言うなよ」

「だって悪いわ、いつもご馳走になりっぱなしですもの」

「女のコは、そんな心配するもんじゃない」

〝女のコ〟という語感は、麻也子の耳に心地よく響く。三十二歳で人妻の自分を「女のコ」などと言ってくれるのは、おそらく野村ぐらいであろう。これもセックスをする仲だからである。

しかし、と麻也子はいつも不思議に感じていたことを口にした。同級生の中にも広告代理店に勤めている者がいるから、何とはなしに聞こえてくるのであるが、最近は大手でも締めつけが厳しいという。タクシー伝票を全廃したところも多いし、バブルの頃は使い放題であった接待費も届け出制となった。クライアントと飲み食いする場合は、あらかじめ上司の印で届けを提出するのだという。

それならば、麻也子と食べる、贅沢といわないまでも凝った食事の数々は、野村が自腹を切っているのであろうか。広告代理店に勤める彼の給料は、同い齢のサラリーマンに比べるとはるかに高いであろうが、それでも大変な負担になるはずだ。

「そんな心配しなくってもいいんだよ」

野村はかすかに笑った。銀色のカフスボタンの先には、長さがちょうどぴったりのワイシャツの袖口があり、そしてそこから伸びた手の甲が、二、三度上下した。言おうか言うまいかと、頭よりも手が思案していた。

「あのさ、僕たちの商売って、それなりに抜け道があるんだからさあ」

「何かの名目に替えてしまうの」

「そんな幼稚なことはしないさ。あのね、接待で落ちない伝票は、全部が全部じゃないけど、うちに出入りのプロダクションにまわすんだ」

「プロダクションって、ＣＭをつくってるとこね」

「ああ、こんなご時勢だから、どこも仕事が欲しいからね、少しぐらいの伝票なら引き受けてくれる」

「そんなの可哀相じゃないの」

「だけどその代わりさ、彼らの制作費の請求書にそれなりに色をつけてやる。まあ、いってみれば助け合いってことだね。もちろん、こんなこと誰でも出来るわけじゃない。僕との信頼関係があって初めて可能なことさ」

おそらく自分の力を誇示するためであったろう野村の打ち明け話は、麻也子をかなり不快にさせた。

「それじゃ、私といま食べたカルパッチョも、バジリコのスパゲティも、カツレツもワインも、みぃんな、知らない誰かが払ってくれたっていうこと」

「全部が全部じゃないって言っただろ」

野村はとりなすためのやわらかい笑顔をつくる。こうすると彼の目尻と口のまわりには魅力的な小皺が寄るのだ。おそらくたいていの女はここで黙ってしまうだろう。

「あのさ、こうして麻也ちゃんと会うのだけが、僕の唯一の楽しみなんだから水をさすようなことを言わないでよ。これは大人の仕事をしていく時の、ちょっとしたやりとりなんだから」

気まずい空気が流れている。麻也子はもちろん潔癖な女というわけではない。若い時から、男たちにはさんざん食べさせてもらったり飲ませてもらった。彼らが領収書を貰いやすいように、支払いの時は外に出ているというマナーを学んだのも、大学生の頃である。多分野村の場合も、接待費で落としているのだろうと見当をつけていた。いくら経費節約といっても、野村ぐらいになればいろいろな方法があると考えていた。が、事実は麻也子が考えていたよりも、はるかに巧妙である。この巧妙さが、二人の関係をひどく不純なものにしていると考えるのは麻也子だけであろうか。

が、気まずくなったと言っても、いつものようにことは運ばれて、二人はタクシーに乗ってホテルへ向かった。赤坂にあるこの高層ホテルは、麻也子にとっても親しいものとなっている。夜の八時半をまわったロビーは、まだ多くの人々が歩きまわったり、人待ち顔でソファに座ったりしている。部屋に行くと思うからまわりが気になるのだ。最上階のラウンジにこれからカクテルを飲みに出かけると思えばよいのだ、ということを麻也子はいつのまにか会得していた。

一階の隅にある旅行センターの前に立ち、パンフレットを眺めるふりをする。こうしている間に、チェック・インの手続きを済ませた野村が近づいてくる。そして二人でエレベーターに乗った。

乗り込んでくる者がいないのを幸い、野村は麻也子の傍にぴったりと立ち、腰に手を伸ばした。

「どうしたの、急におとなしくなっちゃって」

「別に」

「今日は早く帰らないとまずかったかな」

そんなことはないと答えようとしたが、それも癪《しやく》にさわる。何か別の言葉を探そうとしたら、エレベーターが開いた。

部屋に入り、野村は冷蔵庫を開ける。そして缶ビールを取り出し、テレビをつけた。その間麻也子はバスルームに入る。もちろん石鹸は使わないが、体をざっと流しておきたかった。こんな行動にも、二人の変化が表れている。以前はドアを閉めるなり、野村は麻也子を抱きすくめたものだ。シャワーを使うなどというのはとんでもない話で、すぐにジッパーは下げられ、ボタンははずされていった。まず布から、ただちに麻也子は開かれていったのだ。

が、この頃の二人には余裕というものがある。それは日常と言ってもよい。もはや手順が出来てしまえば、無理して「情熱にかきたてられる」ふりをすることもなかった。

そして余裕も出てきたが智恵も出てきた。麻也子は野村と会う時は、出来るだけ皺にならない服を選び、それをハンガーにかけておく。以前は丸首のニットを、彼が無理やり脱がそうとしたので、口紅やファンデーションがついて大変だった。この頃はあらかじめ服をハンガーにかけ、バスローブの格好でベッドに向かう。このホテルは、厚手で上質のバスローブが用意されているのだ。バスローブというのは、情事の際の制服である。白いこれを着た女たちは、バスルームからベッドに向かって行進する。

ベッドの上では下着姿になった野村が待っていた。身につけているのはブリーフだけだが、これはいつも白い。彼の妻は、自分の夫を全く疑うことなしに、これを洗ったり漂白したりするのであろうか。

その時電話が鳴った。こんな時間、こんな部屋にかかってくる電話は、もちろん凶報に決まっている。麻也子は一瞬、彼の妻を想像した自分を恨んだ。よくないことというのは、こうしたふうに想念に引きずられるのだ。

「女房じゃないよ」

麻也子の心を見透かしたように野村が言った。

「女房が、ここにいるのを知っているはずがない」

「じゃ、誰よ」

「君のご亭主じゃないのか」

「まさか」

麻也子は笑った。そんなことは起こり得るはずはなかった。

「間違い電話だろう」

それでも電話は鳴り続けている。バスローブ姿の女と、下着姿の男は、同時に胸をかき合わせた。

電話はなおも鳴り続けている。

音は隅々まで響き、その嵩高《かさだか》さであたりを圧していく。夜のホテルで鳴る電話ほど、自分たちが密室にいることを教えてくれるものがあるだろうか。麻也子は言った。

「ねえ、その電話、取った方がいいんじゃないかしら」

「そんなことはない」

野村はとっさに上目遣いに麻也子を見た。今の発言の真意を確かめようとしているようだ。

「間違い電話に決まっている」

「取りもしないで、どうしてそんなことがわかるのかしら」

「だって、僕たちがここにいるのは誰も知らないんだから、かかってくるとしたら間違い電話だよ」

「そう、それならば出てみたらいいわ」

窮地に陥った男の顔を、これほど間近に見たのは初めてだ。目をしばたたかせながらやたら動かす。自分の唇がなかば開いていることにも気づかないようだ。

心のどこかで、おかしみが拡がっていることに麻也子は気づく。最初の電話の音による怯《おび》えが去った後、麻也子は野村よりずっと早く落ち着きを取り戻した。おかしみと落ち着きが生まれて結びつけば、あらたに出現するのは好奇心である。この電話は確かに今、麻也子たちを脅かしているのであるが、その声の持ち主を無視する法もない。麻也子の中に、とりとめもない疑問がいくつも湧く。

こんな時、妻という女たちはどのような言葉を吐くのであろうか。どんなにつつましい女でも、こうした場合、それこそ汚ならしく暴力的な言葉で罵るという、友人たちの話は本当なのだろうか。

自分はどんなふうに責められるのであろうか。

麻也子はやっと理解し始めた。恋という冒険において、多くの女たちは自虐といってもよいほどいちばん危険な崖っぷちに進んでいく。いちばん危険な賭けをする。その気持ちがやっと少しわかった。一生に一度めぐり合うかどうかわからぬドラマティックな現場を味わいたいのだ。当事者のひとりとしてそこから逃れたくはないのだ。仮にどれほど悔やんだり、身を裂かれるような屈辱に遇《あ》おうとも、女はやはり「知りたい」という欲求にうち勝つことは出来ない。

麻也子は野村に背を向けるようにして、左手で受話器を取った。

「あっ」と向こう側で小さな声がした。こちらが電話をとったことに驚いている声だ。

「もし、もし」

麻也子が言うと、

「もし、もし」

と谺《こだま》のように女が応えた。しかし女の方がはるかにか細い声である。女の声が若いことに麻也子は驚く。野村の妻といえば、三十代後半から四十そこそこといったところであろう。しかし麻也子の耳に届く声は二十代の女のものだ。若さ独得の甘さと粘り気がある。

「もし、もし。そちらに野村さん、いらっしゃいますか」

女は事務的な口調になろうと必死になっている。しかしあまりうまくない。語尾に緊張や怒りが滲《にじ》んで少し舌がもつれている。

「いらっしゃいますよ」

麻也子はあっさりと答えた。電話の相手が野村の妻ではなく、若い女であったことでいささか優位を取り戻している。が、その優位さというのは、しらけた思いと全く同じ根を持っていた。

「はい、野村さん、やっぱりあなたですよ」

野村の顔はこわばり、何か言葉を発しようと唇が上下に動いた。麻也子はある感慨にうたれる。

——やはり男というのは、妻のことを怖がっているのだ——

野村はほとんど妻のことを話したことがない。あたり前だ、不倫の相手に対して自分の妻を話題にする男などいるはずはなかった。しかしそれでも何かの折に、言葉の節々にその女の像が浮かび上がることがある。彼女は短大に通っていた頃、アルバイト先で野村と知り合ったのだ。二十四歳で結婚した後は、二人の男の子の子育てに追われるごく平凡な主婦だという。

「本当にそこらにいるおばさんなんだけど、それがかえって疲れなくていいよ。なんていうかな、今どきあんなふうに普通っぽいのは有難いと思うね」

野村はこうした言葉の切れ端に、男の傲慢さと身勝手さとをにおわせていたものだ。いくら不況だといっても、大手の広告代理店に勤めている彼は相当の給与を貰っているに違いない。そんな自分がいるからこそ、のんびりと専業主婦をやっていられるのだ、ということを言外ににおわせていたこともある。妻を働かせることなくちゃんと食べさせているのだということを、密かに誇りに思っている古風さが野村にはあった。

その男が、妻からの電話かもしれないという怯えで、これだけ震え上がっているのだ。

麻也子は一瞬、この電話が夫の航一からのものだったら自分はどうしただろうかと想像してみた。やはり驚き、後ずさりするのかもしれないが、すぐに居直りの気持ちが生まれてくるような気がする。

「何だったら別れてもいいのだ」

という切り札が、いつも麻也子の胸の中にある。もしかすると、一生使わないかもしれない切り札であるが、これを口にする勇気があるかと自分の胸に問うてみれば、〝ある〟とはっきりした声が響く。その声がある限り、自分は野村のようにこれほどぶざまな態度をとらないような気がする。麻也子は受話器を渡した時に、

「奥さんじゃないみたいよ」

と教えてやればよかっただろうかと考えたが、そこまで親切にする必要はないとすぐに思い直した。しかしそれにしても、麻也子のような立場の女が、こんな時、これほど気を遣うものだろうか。

自分ながら何というやさしさだろうと思う。麻也子は窓に近いソファに座り、テレビをつけた。この方が話しやすいだろうという配慮である。本当はバスルームに行ってもよかったのであるが、そこまでするのは嫌味というものであろう。

といっても、野村の声はここまで届いてくる。「とにかく」という言葉を彼は連発していた。

「とにかく、今度会った時にゆっくり話すよ……」

「とにかく、こんなところに電話しないでくれよ」

「ちゃんと説明するよ。とにかく君にちゃんとわかってもらうようにするから」

さっき電話で声を聞いた時に気づいたことであるが、今はすっかり事情が飲み込めた。

どうやら電話の若い女は、野村の愛人らしい。どうやって調べたかわからぬが、彼がここにいることをつきとめたようだ。東京に自宅を持っている男が、ホテルに泊まる目的といったらひとつしかない。その若い女は、思いつめた揚句、ここに電話してきたのだろう。

麻也子はテレビの画面から、男の背に目を移した。こういう時の男は前かがみになっていることに気づく。全く今日は新しく発見することばかりだ。もっともこの発見は人に告げたり、教えてやる類のものではないのだが……。

ようやく電話を切った野村がこちらに近づいてきた。慌てて身につけたシャツにブリーフという格好の彼は、ひどく間が抜けて見える。麻也子は男に対してたまらなく意地の悪い思いがこみ上げてくるのをどうすることも出来ない。嫌悪や怒りではなかった。単に意地悪な思いなのだ。

「行ってあげなくていいのォ」

のんびりとした声を上げ、男の方を見た。

「そんなんじゃないんだ」

「そんなんじゃないって、どんなの。こんな時間に、こんなところに電話をかけてくるなんて」

指示表現ばかりの言葉が、嫉妬に聞こえないだろうかと麻也子は少し悔やむ。考えてみれば、野村の妻にも嫉妬などしたことはなかったのだ。それが今の電話の若い女に、そのような感情を持ったなどと思われてはたまらぬ。だから麻也子はこうつけ加えた。

「こんなところに電話をかけてくるなんて、よくよくのことだと思うわ。それなのに行ってあげなくていいのかしら」

「君とつき合う前からの娘《こ》だ」

すっかり観念したのだろう。野村は麻也子のそれと対になっている椅子に、どさりと腰をおろした。

「二年前からのつき合いだ。だけど君とこうなってからは、すっかり遠のいてしまった。本人はそれを苦にして、誰かいるんじゃないかと思ったんだろう。それであれこれ調べて電話をしたんだ」

それは嘘だとすぐにわかる。麻也子と野村が会う頻度は、二週間に一度というところだ。となれば、もう一人二週間に一度会う女がいたとするとちょうど計算が合うのだ。

麻也子がぼんやりと計算を始めた間の沈黙を、野村は怒りととったらしい。急激に早口になり、いらぬことまで喋り出す。

「うちにアルバイトに来ていた娘《こ》なんだ。仕事で可愛がっているうちに、ついそんなふうになってしまった。うちの契約期間が切れてからは、就職口がないってすごく困ってた。それで僕が知り合いのプロダクションに入れた。それでまだ縁が切れないっていうか、かえって監視されてるっていうか、奇妙な関係が出来ちゃって……」

現役のOLである麻也子は、すべての輪郭をはっきりとなぞることが出来た。今日夕食をとっている時に、野村はちらりと打ち明け話をしたものだ。彼の飲み食いの伝票は、出入りのプロダクションの方にまわす。そしてその分、彼らの請求書に色をつけてやるのだと。どんな名目にしているか知らぬが、麻也子との逢い引きに使うホテル代も、おそらく野村はプロダクションに払わせていたのだろう。野村の愛人の若い娘が、その会社で経理でも担当していたとすれば、彼の行動は手に取るようにわかるはずだ。そうしたからくりがなければ、彼女がこのホテルの電話番号を知っているはずはなかった。もし女友だちに打ち明けたりしたら、かなり面白がられそうな話である。しかしそんなことが出来るわけがないので、麻也子はひとり口に出して、自分の身に起こったことを整理してみる。

ミステリーの後ろから数えて三、四ページめから始まる、刑事の独白のようにだ。

「普通は、不倫っていうのは、奥さんを交えての三角関係だって思ってたけど、私たちの場合はもう一人いたわけね」

「女房はまるっきり関係ないよ」

野村は憮然《ぶぜん》として答える。

「あのね、奥さんから電話がかかってきたり、脅かされたりするのは、よく話にも聞くし、それなりに覚悟してたんだけど、もう一人愛人がいて、その人にやられるとは思ってもみなかったわ」

「今夜のことは謝るよ。麻也ちゃんに嫌な思いをさせて悪かったよ。だからそんな言い方はしないでくれ」

麻也子は男の方を見る。こんな時にも男というのは、ふんぞりかえって座るものらしい。野村の足は大きく開かれているから、顔に比べてすね毛が濃いこともはっきりとわかる。もものつけねの陰になっている部分は、全く毛が生えずなめらかな平野だ。野村の性感帯の、配線が集中している場所でもある。野村はその若い女に、さまざまなことを教えたに違いない。手を導いて、そのなめらかな場所を記憶させようとしただろう。

嫉妬ではない。もちろん裏切られたとも思ってもいない。それどころか非常に困ったことに、しのび笑いが胃の裏側の方に起こり、それが喉を伝わって上がってこようとしている。いけない、いけないと思いながらも、肩が小刻みに震えている。仕方なく麻也子は、

「ああおかしい」

と口に出して言った。が今度は困ったことに、それは自嘲にとられる恐れがあった。

「私ね、最初に電話を聞いた時に、野村さんの奥さんだと思ってた。それなのに、全然知らない女の人だなんて、まるでミステリーよね」

「そんなふうに言うなよ」

今度は野村が麻也子をまっすぐに見た。

「だって仕方ないことじゃないか。ああ、確かに僕には女がいたよ。女房も薄々感づいてたかもしれないけど、とにかくうまくつき合ってたんだ。そこへ君が十年ぶりに現れたんだよ。君は人の奥さんなのに、僕と昔のようにつき合ってくれた。すると当然彼女がはみ出す形になってしまう。言いわけをするつもりはないけれど、人間関係なんて、そんなにうまく割り切れるもんじゃないだろう。どっかでボロが出る。だからっていって、そんなに僕を馬鹿にすることはないじゃないか」

「馬鹿になんかしてないわ……」

麻也子はいささかしゅんとなる。確かにすべてのことは、自分の身勝手さから始まったことである。ある日浮気をしてもいいのではないかと思いつき、過去の男たちのリストから野村を選び出した。彼の職業、性格、年齢からして、その時点で愛人がいても不思議ではない。割り込んだのは麻也子の方なのだ。

しかし自分のこの身勝手さは女ということですべて許されるはずだ。女が身勝手なことをしたり、悪巧みを考えたとしても、結局は体を自由にさせるのだから。男は得するばかりではないか。それなのに野村は、その恩も忘れて、居直ろうとしているのだ。

「もう帰るわ」

麻也子は立ち上がった。

「その若い女が、ここに乗り込んでこないうちにね」

「ちょっと待ってくれよ、麻也ちゃん」

野村の腕が、通せんぼしようか、どうしようかというふうにかすかに開いたり閉じたりする。

「誤解しないでくれよ。彼女は自分の家からかけてるんだ。ここに来るはずはないよ。気分を悪くしたら謝るよ」

麻也子はバスルームのドアをぴしゃりと閉めた。さっき脱いで畳んでおいた下着をまたつけ始める。スリップを上からふわりと羽織ったとたん、麻也子は「そうだ」と思いつくことがあった。さっき野村に四角関係だと言ったが、航一のことを忘れていた。自分たちの関係は実は五角関係なのだと思ったとたん、また笑いがひくひくとこみ上げてきた。不倫というものは、多くの感情を決して人に言うことが出来ない分、すべて自分の体の中で処理しなくてはならないらしい。おかしみさえもだ。

空が春という季節を産み落とす前の、その胎動のような不安定な陽気が続いた。初夏のような温度になったかと思うと、突然霙《みぞれ》が降ってきたりする。

そんな天気のために、会長が今年何度めかの風邪をひいた。熱があるとかで、昼食を食べるやいなや自宅に帰っていった。

彼自身がこれといった仕事がないのであるから、秘書の麻也子が忙しいはずはない。映画に出てくるアメリカの秘書がそうするように、時間をかけて爪の手入れをした後は、雑誌をぱらぱらとめくる。

友人たちの間で、羨望の的になっている麻也子の職場である。七十に近い老人は、会長職を引き受けるにあたって、年俸よりも専用車と秘書に固執したという。おかげで麻也子がここにいるわけであるが、とにかく暇である。朝、パン屋から届けられてくるイギリスパンを、厚く切ってトーストし、紅茶を添えて出す。その後はたまにかかってくる電話を取り次ぐぐらいだ。老人の会長は、パーティーや宴席に行くこともほとんどなかったし、たまに出かける場合は秘書課の男性が従っていく。

自分の部屋では本も読めたし、早い話が居眠りとて出来る。麻也子は契約社員という待遇であったからボーナスこそ出ないが、年収にならしてみるとそう見劣りしない額になる。友人たちに言わせると、

「なんて素敵な仕事なの」

ということになるのであるが、麻也子は毎朝通勤途中の電車の中で、何度も生あくびをする。もしかすると、自分が不満多い日常をおくっている大きな原因のひとつは、この退屈さではないかと考えるようにさえなっている。友人たちはよく、仕事場での人間

関係のわずらわしさ、働くことのきつさをこぼすが、それはそれで刺激というものかもしれない。

　麻也子はここに勤め始めてひとつよくわかったことがある。それは老人というのは、確実にこちらの若さを吸いとっていくものなのだ。特に無視することの出来ない、権力を持った老人がそうだ。歩き方、喋り方、あるいは呼吸まで、そのテンポを自分に合わせることを強要する。麻也子は会長のしわがれ声が終わるのを待って、ひそやかな声で対応する。ゆっくりと茶を淹れる。そういう動作をひとつひとつするたびに、麻也子は自分が中年女に染められていくような気がして仕方がない。

　そうかといって、麻也子は転職を考えてはいなかった。一度職場を変えたことがある麻也子は、ここが確かに悪くない居場所だということがわかる。それに技能を持たない三十二歳の女をおいそれと雇ってくれるところもないはずだ。

　会長室のドアを閉め、入り口横の自分の小部屋に戻れば、そこはもう麻也子ひとりの場所である。直通番号を教えていたから、友人たちからよく電話がかかってくる。もちろん野村からもだ。

「このあいだは失礼した」

　いきなり彼はこう切り出してきた。いろいろ考えた揚句、単刀直入にいこうと決めたらしい。

「君が怒ってると思って電話したんだ」

「ええっ、どうして私が怒らなきゃならないのかしら」

ぶっきらぼうに答えながらも麻也子はすぐに電話を置いたりはしない。会長がいなくてよかった。ドアの向こう側まで声が聞こえるはずがないが、それでも男からの電話の最中、ボスがいないに越したことはない。おかげで麻也子は、こんな時にもかかわらず、いつもより愛想よくなったぐらいである。

「本当にひどいことをしたと思っているんだ。麻也ちゃんには、どんなに叱られても仕方ないと思っている……」

彼の背後からは何のざわめきも聞こえない。今気づいたことであるが、野村はいつもどこから電話をくれるのだろうか。午後二時といえば、自分のデスクにいる時間であろう。おそらくどんな会社にも、秘密の電話をかけ合うエアポケットのような場所があって、そこでは毎日、昼間から情事のとりきめがかわされているのだ。

「ねえ、いろんなことを説明したいし、君に謝らなきゃいけない。近いうちに会えないだろうか」

「そうねえ……。でも私もとっても忙しいのよ。すぐに時間をつくれるかどうかわからないわ」

「とりあえず明日、っていうのはどうだろう。どんなに遅くなってもいいから時間をつくってくれないか」

「急にそう言われてもねえ……」

怒っているわけでもない。意地の悪い感情も薄れた。麻也子はただめんどうくさいのである。野村の背後にいるのは、彼の妻だと思っていた。ところがもう一人、彼の若い愛人が現れたのだ。コンサート会場に出かけたところ、チケットとは別に整理券が要るといわれたようなものだ。たいていの場合、麻也子はもうそれ以上の努力をしない。すぐに引き返すことにしている。

「とにかく僕はこのままじゃ絶対に嫌だ。わかるよね」

野村はぐっと強引に話を進めてくる。その若い愛人に、いつもそう接して喜ばれているのだろう。いつの間にか約束が出来上がり念を押され、電話は切れた。どうやらエアポケットの効力が切れたらしく、電話の終わり頃、背後に人の声が聞こえるようになっていたのだ。

麻也子はやや乱暴に受話器を置いた。舌うちしたいような気分だ。しかしまわりに誰もいなくても、女がひとり舌を鳴らすことはためらわれた。麻也子は、しょっちゅう舌うちしたい気分になるが、実際に舌うちというものをしたことがなかった。

どうやら野村とのことは、麻也子の最初の計算が違ってきているようなのだ。浮気ということを思いあたった時、麻也子は相手を吟味した。通りすがりの男や、身元のしっかりとしていない男など絶対に嫌だと思った。独身の男というのは概して口が軽いものであるから、結婚している男の方がよい。同じリスクを背負うことによって、共犯者の結びつきが出来るからである。しかも真剣になったり思い詰めたりする男では困る。麻也子のプライバシーにまで入り込もうとする男など論外といってもよい。

ここで麻也子はかなり怠惰なことをした。自分で挙げたたくさんの条件にうんざりし、それにかなう男を新しく見つけることを放棄したのである。新しい男というのは新鮮な分、見知らぬ危険も潜んでいるということだ。それならば昔の男の中から選んだ方が安全で確実だと、麻也子は判断したのである。

広告代理店に勤める野村は、その点理想的ともいえた。理想的という、まっとうなものに使われる言葉はおかしいかもしれぬが、とにかくさまざまな条件にかなっていたのだ。風采もよかったし、何よりも遊び慣れていてやることがスマートだった。しかしそれはいささか度が過ぎていたようだ。彼は現在進行形の若い愛人までいたのである。麻也子は当然のことながら、誠実な男など要求してはいなかった。しかし自分と会う時間、不倫という場における程度の誠意は求めていた。しかし二人でいるベッドの傍に、女からの電話はかかってきたのである。

この情事は自分が決心し、自分が選び出したものだと麻也子は思っていた。ところが結局得をしたのは野村の方らしい。ある日電話がかかってきて〝タナボタ式〟に麻也子という肉体を手に入れたのだ。口説く手間も金もほとんどかからなかったはずである。麻也子は野村の他には夫しかいない。それなりに正直な気持ちを野村に与えてきたつもりだ。しかし野村ときたら、人妻の麻也子を楽しみながらも、その若い愛人とも仲よくやっていたのである。麻也子は、麻也子の体は、野村がほくそ笑みながら持つカードの一枚ではなかったのか。妻がいるのは仕方ない。が、他にもう一人女がいるという事情は、怒りや哀しみではなく、徒労感を麻也子にもたらすのだ。

「あー、私って損ばかりしているんだわ」

久しぶりにこの言葉が出た。

しかし徒労感は麻也子だけではなかったようだ。五日ぶりに会う野村は、かなりぐったりとした様子をしている。目の下の袋が、疲労を貯め込んだように茶色に膨んでいた。おそらく若い女にさんざん手こずらされたのであろう。

「このあいだは本当にすまなかった。あっちの方はうんと叱っておいた」

が、口ではこんな強気なことを言う。彼女は泣いて謝ったというのだ。

「何も叱ることはないじゃないの」

これは麻也子の本心というものであった。

「彼女はとにかくあなたのことが気になって、ここに電話をかけてきたんでしょう。いじらしいじゃないの、可愛いじゃないの。そこまでしてくれる女の人を、なにも叱ることはないんじゃないのかしら」

「麻也ちゃん、もうやめてくれよ。そういう皮肉を言うのはさあ」

野村は左の手をそろそろと麻也子の顔に伸ばす。とにかく落ち着いて話をしたいからといってホテルのバーから、野村はあわただしく麻也子を部屋に連れ込んだのだ。彼は実に古典的な手法を使おうとしている。とにかくセックスへ持っていこうと必死だ。

「僕を困らせないでくれよ。まさか麻也ちゃんがまた僕のところに戻ってきてくれると思わなかったんだから、仕方ないじゃないか……。僕だっていろんなことがあったんだ。だけど今は麻也ちゃんに夢中なんだからさ、そのくらいわかってくれているだろ……。ねえ……」

彼は右手も使い、両の手で麻也子の頰をはさむ。少し力を込めて押さえ、麻也子の顔を滑稽なものにする。男が女へのいとおしさを表す時に、よくするしぐさである。だが、ここで彼はひとつミスを犯してしまう。

「あのさ、いずれ時間が解決してくれると思うから。本当さ。だからずるい男だなんて思わないでくれよ。いちばん苦しんでいるのは僕なんだから」

おそらくこれは若い愛人に口癖のように言っていることなのであろう。が、麻也子の場合、「解決」など要求もしていないのだから、これはおかしな言い方であった。おまけにこの後、野村は「分別があって魅力ある中年男」を演じようとするのである。

「さっ、今夜は一緒にシャワーを浴びよう」

その口調は、彼が彼の息子に向かい、

「さっ、坊主、一緒に」

と言ったとしても全くおかしくない命令口調である。若い女に向けてなら効きめがあったかもしれぬが、麻也子はかなりしらけた気分になる。野村は長いキスをしながら、片手で麻也子の上着を脱がせ、ブラウスのボタンをはずそうとする。その時何かが麻也子を促した。

「いつもみたいじゃ嫌よ」

麻也子は言った。そうだ、これでは自分は損をするばかりではないか。二人でシャワーを浴びるのは目新しいことだとしても、その後いつものようにセックスがあり、そしてもうどれほどのものか予測される快楽と絶頂があるだけであった。

しかし麻也子は大きな犠牲をはらっているのである。そんな普通の男と女が得るような成果だけで満足しなくてはいけないのだろうか。常ならぬ道、道徳も理性もすべてふっ飛んでこっぱみじんとなるような快楽、「めくるめく」と表現されるような美味があってしかるべきなのではないだろうか。

「えっ、どういうこと」

野村は問い返した。麻也子の言う意味がよくわからないようである。

「何か特別のことをして欲しいのよ」

すらりと最初の言葉を出してみると、後はどうということもなかった。

「もっと私を楽しませてちょうだいよ、いつも同じパターンじゃ嫌。どうせ野村さんは、私とのこと遊びなんでしょう。あ、いいわ、言いわけしなくってもいいってば。ねえ、遊びなら遊びで、もっととことん面白いことして欲しいの」

野村の目に一時《いっとき》驚きと怯《おび》えが走る。男を怯えさせるようなことが自分で言えるとは麻也子は自分でも意外であった。ましてやことはセックスのことである。が、遊び慣れている野村のことだ。おそらくいくつかのことは体験しているに違いない。

「そんな、面白いことって……こんな普通のホテルじゃ無理だよ」

案の定、すぐに気を取り直して野村は言った。

「面白いことって、麻也ちゃんはいったい何をしたいんだよ。ＳＭとかそういうことなのかな……」

「わからないわ」

麻也子は正直に答えた。

「そんなもの雑誌で見るだけですもの。だけどね、せっかく野村さんとこういうふうなことをしているんだもの、もっといろんなことをしたいのよ」

麻也子のあまりの率直さに、野村はまだ顔をこわばらせたままだ。しかし彼の口は、彼の気持ちよりはるかに早く、本来の好色さを取り戻して軽く動き出した。

「そんなにはっきりズバズバ言われたら、男の立つべきものも立たなくなっちゃうよ。麻也ちゃん、そんなことはね、電気消してから、ベッドの中でねだってくれよ。こんな風にやり合ってたら、まるで仕事の延長みたいだ」

「あら、そうかしら」

「そうだよ、麻也ちゃんはこんなに可愛くって魅力的なんだからさ、そんなこと自分で言わなくってもいいんだよ」

野村は再びねっとりとしたキスを始める。舌の裏側から、さっき彼が飲んだカクテルのにおいがした。

「今から麻也ちゃんを裸にして、一緒にシャワーを浴びる……」

それからと野村は言った。

「お風呂場で恥ずかしいことをいっぱいしてあげるよ。いやだって、その時泣いてもしらないよ」

「ふうーん、嬉しいわ……」

麻也子はうっとりと目を閉じる。何も考えず、目を閉じたまま、思いきり呆けてみようと思った。もうじき自分は途方もない快楽を味わうらしい。そしてその快楽の向こうには何かが待っている。もし野村が、かつて自分が経験したこともない喜びを教えてくれたならば、その時こそきっぱりと別れようと麻也子は決心している。いつかは別れる自分と野村ならば、その前に何か大きなものを貰わなくては損ではないか。「行きがけの駄賃」という言葉があるが、これは「別れの駄賃」というのだろうかと、麻也子は唐突にそんなことを考える。

第五章　出会い

麻也子は相変わらず、男について考え続けている。それはあらたな悩みが出現したからである。もしかすると自分は性に関してにぶいのかもしれないという思いにとらわれたのだ。すると馬鹿馬鹿しいと打ち捨てたい気持ちと、もしかするという疑いとがせめぎ合う。

セックスをすれば、体がまず素直に反応し、ついでに心の深いところも掘り起こされていく。自分でも驚くような声が出て、信じられない角度で体は曲がる。が、そうしたことはその場限りのことだ。記憶を時々取り出しては麻也子はよく楽しむことがあるが、それにひきずられるということはない。

一カ月近く前、野村とホテルに行った時のことだ。麻也子は密かに期待していたことがある。別れを心のどこかで決めていたというものの、それをすべてひっくり返すほどの出来ごとを期待していたのだ。

そう広くはないホテルの浴室で、野村はバスローブのひもとシャワーを使い、麻也子にさまざまなことを施した。それはなかなか新鮮な体験だったと言ってもよい。後に野村が言うには、麻也子の声が気になって、隣りの部屋に聞こえやしないかとひやひやしたそうである。

このことは麻也子にいくつかの変化をもたらした。まず野村と、それほどきっぱりと別れなくてもいいのではないかという、だらしない考えが芽生えたことである。レギュラーの愛人だと考えたりするから、彼に不満を持ってしまうのだ。もう一人の若い女のことを、めんどうくさく感じてしまうのである。が、もっと会う回数を少なくすればよいのではないか。イレギュラーの男と考えれば、そう不満も持たないのではないだろうか。遊び慣れた野村の、さまざまな手口は、いまきっぱりと捨て去るには惜しいと思い、麻也子はこんな自分の冷静さに不吉なことを考えてしまう。

——私ってやっぱりにぶいんだろうか——

普通の女ならば、もっと情事の影をひきずってもいいのではないだろうか。その男に抱かれた記憶をたどり身もだえる、そしてその記憶を再び現実のものにするためならば、他のすべてを捨て去ってもよいとまで思うはずだ。性というものに対し、これほど冷静でいられるのは、その旨味《うまみ》をとことん味わいつくしていないからなのではないだろうか。

麻也子はそんな時、同級生の一人、倉沢千恵のことを思いうかべるのである。彼女とはゼミも違い、そう仲がよかったというわけではないが、彼女の姿かたち、喋り方まではっきりと印象に残っている。なぜならば彼女は、その一種タガがはずれた行動により、仲間うちではもはや「伝説の女」と化しているからである。

かつて彼女の恋人は三流の大学に通う学生であった。しかもバンドをやっているという時代遅れの男である。学生時代のこうした純情さというのは、多少蔑笑と共に語られるものの、格段非難されることでもない。

「あの人、変わった趣味をしている」

ぐらいで終わるものだ。

やがて千恵は、親の決めたエリートと言われる男と結婚した。当然、学生時代の〝お遊び〟など、とうに忘れたものと皆思っていた。ところが千恵は、自称ミュージシャンとなった男と、切れずに関係を続けていたのである。それも不器用なやり方だったものだから、夫の知るところとなり、大騒ぎとなった。結局親が間に入り、元に戻ったのであるが、千恵はこう親友に語ったというのだ。

「私はやっぱり、あの人に抱かれてる時がいちばん幸せなの。心じゃいけないと思っても、体が惹《ひ》かれちゃうの」

この「体が惹かれちゃうの」というのは、しばらく麻也子たちの流行り言葉になったほどである。純愛ではないかという声もあるにはあったのだが、単に男好きではないかということになった。

なぜならこのミュージシャンと別れた後、千恵は今度は妻子ある中年男と恋愛をするのだ。こちらの方はダブル不倫という関係になり、すったもんだの揚句《あげく》、二人はお互いの家庭を捨てて、おととし正式に結婚したのである。

千恵は髪と肌に手入れがいきとどき、いかにも良家の子女という雰囲気を漂わせているが、目鼻立ちはちんまりと平凡である。伝説の女にふさわしい華やかさや色気を持っていれば、まわりも納得したであろうが、これでは腑に落ちない。いきつくところやはり「淫乱」ということになり、

「あの四十男のセックスの虜《とりこ》になったらしい」

というところに落ち着いたのである。

あの千恵に比べれば、自分は何という淡白さであろうか。野村とのセックスに、その時々は深い満足を覚えるものの、毎夜身もだえしてそのことを考えるわけでもない。よく小説に出てくるような「身も心も溺れる」ということを、自分は一生味わわずに死んでいくのではないだろうか。

そしてそこまで考えついた時、麻也子は最初の自分とはかなり違ってきていることに気づくのである。夫の航一に不満をおぼえ、このまま年老いていくのかと考えた時に、

麻也子は浮気を決心した。その際、身元のしっかりとした、信用の置ける男、後のトラブルが絶対に起こらぬ男ということで、昔関係した男たちの中から、野村を選び出したのである。お互いに割り切って考えることが出来て、セックスの楽しさだけ味わえればよいと思っていた。

それなのに麻也子は、いま野村に対して物足りなさを感じているのである。それが何だろうかと考え、固くきっぱりとしたもの、つまり精神的なものだと気づいた時、麻也子は赫《あか》くなる。今さら自分がそんなものを欲しているとは考えもしなかったからだ。

いや、精神的な、などと仰々しく考えるから後がややこしくなるのだと、麻也子は心を落ち着ける。少なくとも、自分以外の女がいない男というものに、麻也子はぼんやりと憧れているのだ。この場合、自分以外の女といっても、妻はもちろん控除される。妻子ある男が、妻以外の女とつき合うというのは、深いものであれ、浅いものであれ、確かに〝悪さ〟である。麻也子は男が自分とだけ〝悪さ〟をして欲しいのだ。二番目、三番目の〝悪さ〟をされるのは、麻也子の矜持《きょうじ》が許さない。男の貞操など要求しない代わりに、初めての罪の意識は、自分との関係によって芽生えて欲しい。つまり麻也子は、純情な〝不倫〟をしたいのであるが、これは大層むずかしいものだということはすぐにわかる。

世の中の男というのは、野村のような手練《てだ》れ者か、そうでなかったら浮気などチャンスの方から逃げてしまうような魅力ない男、このどちらかになってしまうからである。初心《うぶ》な不倫というものは、ほとんど存在しないらしいのだ。

季節が四月になったとたん、老人たちがやたら死んでいった。冬を持ちこたえたはずの体が、春の陽気の変化には耐えられないようだ。麻也子は総務と連絡を取り合いながら、あちこちに花や弔電の手配をすることが多くなった。

それにしても今日の男はかなり大物である。一線をしりぞいているというものの、かつては財界のご意見番のような役割を担っていた。新聞の夕刊もかなりのスペースを割いて報じ、会長も通夜に行くと言いだした。その男と会長とは、旧制高校時代同級生だったというのだ。

「水越君、ちょっと来てくれんかね……」

内線電話で呼ばれ、まさか荻窪までついてこいなどと言われるのではないかとひやりとしたが、そんなことではなかった。

「すまないがねえ、六時ちょっと前にサントリーホールへ行ってきてくれないかねえ……」

しつこい風邪がやっと治ったのはいいが、会長はそれ以来奇妙な咳払いをするようになった。喉のあたりでタンがからみ合い、それと一緒に言葉も発せられる。

「実はねえ、親戚の男の子と一緒に、コンサートに行くことになってたんだがね、通夜で行かれやしない……」

ここでまたゴホゴホと咳をする。

「私がね、奴の分と二枚、チケットを持っているから、私が行かないと彼が入れん」

デスクの引き出しから、〝招待状〟と書かれた切符を取り出した。

「この一枚を彼に渡して、もう一枚はそこらに捨ててくれればいいよ。もちろん、君が使ってくれてもいいんだが……」

そのチケットには、中国人らしい女性の名前と、ピアノコンサートという文字が見える。

麻也子は言った。

「生憎《あいにく》と私、クラシックはまるっきりわからないんですよ。途中から眠くなっちゃうんで、もう行かないことにしてるんです」

自分のこういうはっきりした物言いを、老いた会長が内心面白がっていることを麻也子は知っているのだ。

「私もね、そんなに好き、っていうわけじゃないがね、奴がどうしても行きたいって言うもんだから、招待券を貰ってやったんだ。だけど通夜に行かなきゃならないからねえ」

彼は〝通夜〟という言葉を、いかにもいまいましげに発音した。

「奴が言うには、なんでも中国人の有名なピアニストらしい。このチケットはなかなか手に入らんそうだ。この名前、君は知ってたかね」

「いいえ、全然存じませんでした」

会長室を退出しかけて麻也子は、大切なことを聞き忘れたことに気づいた。

「あの、ところでその親戚の方、どうやって見分ければいいんでしょうか」

「そうだなあ……」

会長は目を遠くに泳がせる。その視線にいとおしさが込められていることに麻也子は気づいた。

「変わり者だからすぐにわかるさ。慶応の経済を出た後にね、突然作曲をやりたいなんて言い出して、みんな大騒ぎになった。もちろん才能がないことにすぐに気づいて、今はあちこちに評論を書いてる。とにかく変わった男だ」

そう言われても、麻也子に具体的なイメージが浮かぶはずはない。それを察したように彼は言った。

「私から電話をしておこう、水越君の様子を詳しく伝えておくよ。そうすれば、あいつの方から気づくだろう」

「よろしくお願いします」

その時、ふと思いついて麻也子は言った。

「あの、私、今日は少しピンクがかった灰色のコートを着ています。ちょっと長めのコートですから、それを目印にしていただけたら、すぐにわかるはずですわ」

天気予報が告げたとおり、その日は昼過ぎからぐんぐん気温があがった。朝、家を出る時は花冷えという言葉がふさわしい清々しさだったのに、午後にはまるで初夏のような温度になり、夕方までその余韻は続いた。

が、麻也子はコートを脱ぐことが出来ない。これを目印としたためである。ホールへと歩く人々の中には、半袖のワンピース姿の女さえいる。

今夜は有名なピアニストが出演すると聞いているが、タキシード姿の男も目につく。おそらく大使夫妻なのであろう、華やかなラメのドレスに身を飾った外国の女性が、香水のにおいをふりまきながら、麻也子の前を通り過ぎた。待ち合わせの男は、まだ現れない。人待ち顔の男は何人か立っているのであるが、誰もが中年といってよい年頃だ。会長の言う、

「うちの親戚の男の子」

という形容にふさわしい男はあたりに見受けられなかった。

それにしても、暑さを別にすれば気持ちよい宵《よい》だ。白い服の女たちがことさら美しく見える。ああ、コートを脱いでしまいたいと思い、前に手をかけた瞬間、麻也子は近づ

いてくる一人の若い男を見た。スーツではなく、灰色の軽い素材のブレザーを着ている。ポケットのチーフが、気障《きざ》に見えないこともないが、音楽会だと思えば場所にかなったおしゃれというものだろう。

「水越さんですね」

男は言った。

「すいません、工藤です。遅くなりました」

男はちょっとえらの張った顔立ちをしている。整った薄い唇が、音楽を愛好する男独得の神経質っぽさだと麻也子は思った。が、財閥の一族に連なる会長の親族なら、おそらく相当の家の息子であろう。こうした神経質な印象は、むしろ育ちのよさと解釈するべきかもしれない。

「お待たせしましたね、さあ、行きましょう」

工藤という若い男は、軽く麻也子の腕に手をやり、促すようにする。

「あの、私、コンサートにはまいりません。切符をお渡しするだけですけど……」

「そんなのもったいないよ」

彼は突然若さがはじき出されたような物言いになった。

「彼女のピアノは素晴らしいですよ。めったに日本じゃ聞けませんよ。こんなチャンスを逃すなんて、もったいないですよ。さあ、行きましょう」

男はさらに強く麻也子を押し出す。はずみで麻也子は一緒に歩き始めていた。ホールのロビーに立つ人々のざわめきに混じって、かすかにオーケストラのチューニングの音が聞こえてくる。

「さあ、コートを」

男は言った。麻也子は言われるとおりに男に背を向ける。首すじがじっとりと汗ばんでいた。


長い協奏曲が終わり休憩となった。人々は、まるで訓練されたような足取りで、行儀よく外のロビーに出ていく。

この劇場はバーがしつらえてあって、ちょっとした飲み物や軽食を口に出来るようになっている。

「ちょっと待っていてください」

工藤はしばらくしてから、ワインのグラスを二つ運んで来た。白いワインは、ほとんど動かず、水平を保っている。劇場で、女のために酒を運んでくることぐらいむずかしいことはないだろう。たいていの男は、グラスの酒をこぼすまいとそろそろと歩く。中には自分の手元に集中するあまり、あちこち人にぶつかる男もいるほどだ。しかし工藤の動きはなめらかで的確であった。背筋を伸ばして正面を向いて歩き、待っている女、麻也子に向かって微笑んだりもする。

　麻也子は少し落ち着かない。初対面である工藤の好意が、今までの男たちのそれとはまるで種類が違うからである。野村にしても、夫の航一にしても、かつての恋人たちの誰もが、その好意の出処《でどころ》がはっきりとしていた。それによって麻也子はいろいろな対応を考えてきたのであるが、どうもこの工藤に関してはそれが通じない。しかも相手は、ボスである会長と縁戚関係なのだ。

「どうもありがとうございます」

　麻也子は神妙に挨拶してグラスを受け取った。

「だけどやっぱりよかったですねえ……」

　工藤は矯正したのではないかと思われるほど、綺麗な歯を見せて笑った。

「今の曲もいいですけど、次のリストをまあ、聞いてくださいよ。リストはテクニックをひけらかそうとすると、そりゃ嫌味なものになりますけどね、彼女はそうじゃない。のびやかにしかも狂おしく弾くんですよ」

「のびやかにしかも狂おしく」というのは、いったいどのようなことを言うのだろうかと、麻也子はさっき舞台で見た紫色のドレスの女を思い出した。中国人だという彼女は、日本人と見わけがつかない。ただ弾き終わった後に指揮者やコンサートマスターと握手する様子が、堂々としていて男たちを圧する雰囲気さえある。大陸生まれの人の大らかさと麻也子は感じたのであるが、それは麻也子がコンサート体験がないためで、ピアニストという人たちはみんなそうしたものかもしれなかった。

「彼女は本当に素晴らしいですよ。エリザベート妃コンクールでは、一位なしの二位でしたけどね。あの時はなぜ優勝させないんだと、観客からブーイングが起こったそうですよ。その時から、人の心をつかむってことが彼女には出来たんでしょうねえ……」

男がなぜ自分にこれほど親切にしてくれるのか、やっとわかった。それは彼の、音楽に対する純粋な愛情ゆえなのだ。たとえ一夜だけでも隣りの席に座り、同じ音楽を聴く麻也子は、既に彼にとって特別の存在なのだ。それが証拠に、

「楽しんでいますか」

と彼は何回も問うてくる。が、男の心はすっかり音楽に向いていることがわかり、麻也子は気が楽になってくる。それはまるで同性愛の男とつき合うようなものだ。男と女だったら、当然始まるはずの駆け引きのゲームに全く興味を持たない。最初からゲームを放棄している。そのことがわかっているから、女たちは安心して、化粧を落とした後のような顔と声で彼らと接することが出来るのだ。

しかし工藤という男を、同性愛の男のように扱うのは、少々もったいないことであった。彼はそう長身というわけでもないが、身のこなしや容貌があか抜けていて人の目をひく。こういうコンサートホールのロビーで、ワインを飲む様子は楽し気で自然であっ

た。

麻也子は今夜切符を渡した相手がみっともない男でなくて本当によかったと思う。コンサートホールのロビーやパーティー会場というのは、女だけでなく男たちの品評会でもある。そこで姿よくもの慣れた男にエスコートされている女は、やはり真中に陣取ることが出来る。ちらちらと、他の女たちからの羨望《せんぼう》や嫉妬の視線も浴びる。これも人前に出る醍醐味というものかもしれなかった。

「あ、そうだ」

麻也子が多少誇らしい気分を抱いた若い男は、突然声をあげた。

「今、レストランの予約をしようと思うんですけど、イタリアンでいいですよね」

「はい」

なんの躊躇もなく麻也子は答えた。

深夜までやっているイタリア料理店といえば、おそろしく値段の高いスノッブなところか、そうでなかったら若い人相手のスナックまがいの店のどちらかだ。が、工藤が連れていってくれた西麻布の店は、こぢんまりとした店構えで、うまいイタリア家庭料理を食べさせてくれるという。

「ここのキャベツとアンチョビのスパゲティは最高ですよ。それに魚の焼いたものを食べてくださいよ」

工藤はここの店の常連らしい。メニューを開き、ピアニストを解説するのと同じ熱心さで、あちこちを指さす。

「ワインは一本だけにしましょうよ。僕はいつも安物しか飲みませんけれど、それでもいいですか」

「もちろんです」

麻也子は答えたが、こんな男は珍しい。男というものは、ワインリストを手にしている最中、さまざまな思惑でいつもしかめ面になる。

この女にどれほどの金を使えばいいのか。

この女はどれほどワインに詳しいのか。

この女は、この後抱かせてくれるだろうか。

いくつかの値踏みと懐具合を考えた末に、男はソムリエを呼びつける。そして重々しく指さすのだ。

「まずはこれを――」

しかし工藤は違っていた。最初から「安物です」と口にするのだ。よっぽど自信があるのか、そうでなかったら、麻也子に対し、何の興味も遠慮も持っていないかのどちらかだ。麻也子はやがてこのことが不満になってくる。そしてこんな風に口に出してみた。

「申しわけありませんわ。切符をお届けにあがった見ず知らずの女なのに、一緒に聴かせていただいたうえに、こんなところにまで連れて来ていただいて……」

「見ず知らず、なんてことはないじゃないですか」

工藤はワイングラスを軽く持ち上げる。

「あなたは、おじさんの秘書をしている方なんですから。さあ、乾杯。いい夜でしたね」

「乾杯」

レストランの照明の下で見ると、工藤の肌は若々しく張っている。笑うと目のまわりに皺《しわ》が寄るが、それは年齢のためというよりも、筋肉の癖というものであろう。決して嫌な皺ではない。おそらく、もう五、六年たてば、女の胸をかきたてるに違いない、非常に魅力的な小道具となりそうな皺だ。麻也子は工藤の年齢を、三十代になったかならないかというところだろうと判断した。

「音楽の評論をなさってるんでしょう」

年齢を推理した後では、女の口調はつい身元調査のようになってしまう。

「ええ、専門誌に時々書いています。僕は、これでも本を一冊書いているんですよ。もっとも誰も知らないような、小さな出版社から出したんですけどね」

「まあ、本を書いたの」

麻也子は男の顔をみつめる。本を書く人間というのは、いったい自分とはどのように違うか確かめるためだ。男は笑う。目のまわりの皺が、男の顔に風情あるアクセントを与えているのに、歯の美しさがそれをだいなしにしていると麻也子は思った。こんな風に真白い歯を持っている男は、もっと目のあたりが野放図で無邪気でなければならなかった。

「あの、私、そういうこと全く詳しくないんですけれども、音楽評論って、むずかしいお仕事なんでしょうね」

「書くのはそんなにむずかしくないですけれど、食べていくのはむずかしいですよ」

相変わらず微笑を浮かべたままで工藤は言う。

「よっぽどの大御所ならともかく、今どき音楽評論で食べていくなんてそりゃあ大変です。いずれはどこかの大学の講師にでももぐり込もうと思ってるんですが、最近はこれまた狭き門ですね」

こんなのんびりしたことを言ってられるのは、実家がよほど金持ちのせいであろう。ワインで少し酔った麻也子は、大胆になる。こんな質問を口にした。

「あの、工藤さんは、うちの会長とどういう関係になるんですか。会長は、うちの親戚の子、っておっしゃってましたけど……」

「ああ、実はおじさんと僕とは、何の関係もないんですよ」

「あら、だって、会長、親戚の子どもだって……」

「僕もよく知らないんですけど、昔、僕のうちは静岡の三島にあったんです。そこへおじさんの一家が戦争中、疎開に来てたみたいですね。なんでも、僕の家の何代前かの女の人が、おじさんのお父さんだかお祖父さんのお妾をしていたそうで、その縁で来たそうです。親戚づき合いはそれからで、僕も子どもの頃から可愛がってもらってますけれど、血の繋《つな》がりはまるっきりないんですよ」

「そうだったんですか」

麻也子は心のどこかで安堵のため息をもらしている。目の前にいるのは気さくで感じのよい青年であるが、会長の親戚だという思いはずっとつきまとっていたのである。

「そんなことより、水越さんのことを話してくださいよ」

「私のこと」

突然尋ねられて麻也子はうろたえる。相手がこんなふうに直截《ちよくせつ》的なもの言いをするとは思ってもみなかったからだ。これでは、

「君のこと、もっと教えてくれないかな」

若い頃、体をすり寄せてきた図々しい男と全く同じではないか。しかし工藤が聞きたいのはそういうことではなかった。

「今夜、あのピアノをお聴きになっていかがでしたか。どんな感想を持ったか教えてく

ださいよ」

こういうことだったのかと、麻也子は舌うちしたいような気分になる。彼が会ったばかりの自分を食事に誘ったのは、多少でもロマンティックな気分になったからではなく、いつもの習い性で、コンサートの感想を言い合う相手が欲しかったからに違いない。自分はこの後、〝クラシックおたく〟とでも言うべき男に、あれこれ聞かれなくてはいけないのだろうか。もうどうにでもなれ、と投げやりな口調で麻也子は言った。

「あの、私、今夜みたいなコンサート行ったの初めてなんです。ピアノの音を舞台で聴いたのなんか、自分のピアノの発表会以来だわ。ただ思ったのは、ピアニストっていうのは、やたら皆と握手するんだなあっていうことと、リストの曲っていうのは、なんだかおっかないなあ、っていうことでしょうか。嫌な感じじゃないんだけど、生の何かをぶつけられたようなおっかなさかしら……」

「なるほど」

工藤が大きく頷いたので麻也子は驚く。世にも面白い話を聞いたように、彼の目は大きく見開かれているのだ。

「そうだよなあ、言われてみればそうかもしれませんね。ピアニストやバイオリニストも、歌手っていうのもしょっちゅう指揮者やコンサートマスターと握手してますよね。やっぱりあれは、自分を遠くから呼んでくれてありがとう、っていう気持ちの表れじゃないでしょうかね」

「だけど、それだったら、楽屋に帰ってからさんざん握手すればいいことじゃありませんか。何も観客の前で長ったらしくすることはないわ。その分、早く終わってほしい。早くごはん食べたい」

「ふっ、ふっ、水越さんって本当にむちゃくちゃ言うなあ。でもあたってるかもしれない」

「でしょう」

麻也子が言って二人は噴き出した。急にうきうきとした気分になってくる。麻也子が何か言うたびに、工藤はおかしがったり笑ったりするのだ。自分の言葉は充分に重みと広がりを持ち、みるみるうちに相手の胸に染み入っていく。そんな情景を見るのは久しぶりだ。情事への暗号を持たず、皮肉もあてこすりも持たない、まるで赤ん坊のような言葉を発すると、口の中が清涼になる。舌や歯はどれほど魚の脂で汚れても、爽やかさが残る。いつの間にか話は、麻也子のクラシック嫌いをいかに直すかということになった。

「――を聴いてくださいよ」

工藤は一度きりでは決して憶えることが出来ないであろう、長たらしい男の名前を告げた。なんでも北欧のピアニストだという。

「天才っていう言葉は彼のためにあると思うんですよ。コンクールになんか一度も出ていない。ある日突然コンサートに出て、あまりの素晴らしさに皆が拍手をするのも忘れてしまったという男なんですよ。彼が来月来日します。ねえ、水越さん、行きましょうよ」

「私、眠ってしまうかもしれないわ。さっきだって、本当のことを言うと、時々自分の手の甲をつねってたんですもの」

「次は絶対にそんなことありませんよ」

彼は怒ったように麻也子の目を見る。この男は笑わない方がやはりいいと麻也子は思った。

「もし、うつらうつらしたら、僕がつねっちゃいますよ」

そして長い食事が終わった。麻也子は遠慮したのであるが、工藤はちょっとまわり道をするだけだと言って、タクシーで家まで送ってくれた。

「それじゃ、チケットは僕の方でとっておきますよ。近いうちに電話しますよ」

タクシーのドアが閉まったとたん、麻也子は自分が忘れ物をしたような気がした。

「私、結婚していること、言わなかったんじゃないかな」

しかしそれがどうしたというのだと、ちょっとアルコールの入ったもう一人の麻也子が言う。情事をするかもしれないから、女が結婚しているかどうかが肝心なのだ。女がそのことをさりげなく告げるのは、ルールというものである。しかし、あの男とはそんなことは起こりそうもない。何も自分から手の内を明かすことはなかった。聞かれるまで、当分は独身ということにしておこうと麻也子は決心する。

お茶の水にあるカザルスホールは、有名建築家によるクラシックな建物だ。麻也子がここに来たのは二回めになる。数年前にゴスペル調のミュージカルを観に来て以来だ。あの時は迫力ある黒人の歌声にすっかり魅了され、帰りにレコードショップに寄ってCDを買って帰ったほどである。

しかし今日のコンサートは、その時とは全く様子が違う。このあいだのサントリーホールでは後ろに控えていたオーケストラの姿はなく、グランドピアノが一台置かれているだけだ。客の入りも八分といったところだろうか。

いかにも北欧出身らしい金髪の男が進んできて、深々と一礼した。鍵盤を叩き始める。五分もしないうちに、麻也子はすっかり退屈してしまった。手の中にあるプログラムを見ると「ベートーベン・ピアノソナタ第十四番『月光』」とある。この後ラフマニノフ、ショパンと続いていて、麻也子は隣りの工藤に気づかれないように、かすかな息を漏らした。

いったいどうしてこんなことになったのだろうか。工藤通彦《みちひこ》のことをちょっと素敵だと思ったのは確かだったし、また会いたいと思ったから、即座に約束にものった。しかしこうして毎回クラシックのコンサートにつき合わされるならたまらない。少女の頃の記憶が甦ってくる。

麻也子は、当然のこととして小学校に入る前から、ピアノ教師のところへ通わされていた。かなりの家に住み、贅沢なピアノを使っていた女教師は、おそらく裕福な男の妻だったのだろう。教え方も上品でおっとりしているのはいいのだが、麻也子のピアノの腕は少しも上達しなかった。

中学に入ってからは、勉強を理由に上手にさぼり始め、やがて親もやめることをしぶしぶと許してくれた。つまり麻也子とクラシックなどというものは、全く性が合わないのだ。それなのに通彦は、みじろぎもせずに耳を傾けている。時々彼の顔を盗み見する。麻也子は昔から横顔が美しい男が好きだ。女は男の顔を正面からまじまじと眺める機会があまりない。たいていは車を運転する男の傍で、その横からの顔をじっくり眺めるのだ。

大学生の頃、初めてのデートで湘南へドライブに出かけた。その時の相手の横顔に、麻也子は幻滅したことがある。普段は気づかなかったが、彼は顎がなく、口が前方にあった。ひどく下品な感じで、麻也子はデートするぐらいには芽生えていた男への好意を、ただちに取り下げたものだ。

女には許されるふっくらした頬や顎を、男は決して持ってはいけない。

きちんと隆起した鼻、引き締まった口元、そして鋭角の顎があって、男の横顔は完成する。その点、通彦は文句なかった。やや神経質そうに見える唇が、横にすわると怜悧《れいり》な線を持つ。

――これはひとつの試練だと思おう――

麻也子は再びごく小さなため息を漏らした。あと一時間か一時間半、このピアノという音の羅列に辛抱しさえすれば、おいしい夕食と男との会話にありつけるのだ。通彦との食事は本当に楽しい。そう多弁というわけではないのだが、要所要所で的確な合いの手を入れてくれるのだ。何よりも麻也子の話をじっくりと聞いてくれるのが嬉しかった。若く独身の頃、男たちは麻也子の言うことにいちいち大げさに反応し、笑ったり驚いてくれたりしたものだ。

「麻也子ちゃんって本当に面白いよ」

あの言葉ほど、自分は特別な女だと思わせてくれたものがあるだろうか。単に綺麗だとか可愛いというのではなく、麻也子は普通の女よりもずっと手応えがあると指摘するのだ。甘やかされた麻也子は、さらにずけずけとした物言いをする。するとそれに男はまた笑ったものだ。

今、人の妻となった麻也子の言葉を熱心に聞いてくれる者はほとんどいない。夫の航一に至っては、麻也子に一日の言葉の規定量をもうけているようである。それを越えると曖昧《あいまい》な返事をするのみだ。野村も最初のうちこそは、会話を楽しんでいるような素ぶりをみせていたが、今は早くホテルの部屋へ行くことばかり考えている。それは欲望のためというよりは、時間の節約のためだ。気がつくと、麻也子のさまざまな言葉は、空中に放たれることなく、体に戻ることが多くなっていく。それは発酵して、ぶくぶくと嫌なにおいの泡を立てているようだ。

しかし今夜、麻也子は、頭にうかんださまざまな感想を、組み立てたり、推敲することなく次々に舌にのせることが出来る。

「ねえ、教えて欲しいんだけど、ああいうピアノのコンサートって、何を楽しめばいいの。何を考えて聴いていればいいの」

このあいだと同じ西麻布のイタリア料理店だ。通彦の選んだ軽い白ワインをグラス半分飲み干したら、麻也子はすっかり生き還った気分になった。麻也子は責めるように質問を重ねる。

「ねえ、他のお客さんはじっと聴いてたけど、みんなピアノのことよく知ってる人なの。いったいどうすれば、あんな風にじっとして聴いていられるの」

「何にも考えなくたっていいんだよ。ああ、いい音楽だなあ、いい気持ちだなあって感じていればいいんだ」

通彦は笑う。それは決して苦笑いという表情ではない。麻也子はそれを見ると幸福な気分になる。男が自分の言葉で楽し気に笑うのを見るのが、これほど心満たされるとは思ってもみなかったことだった。

「だけど、工藤さんは専門家なんだから、普通の人とは違う聴き方をしてるんでしょ。だったらそういうの教えてよ」

「そりゃ、目立つミスがあったら、あっ、なんて思うかもしれないけど、今日の彼のテクニックは完璧そのものだからね」

初めての時とはうってかわり、通彦はぐっとくだけた物言いをする。

「そうだなあ、ひとつ挙げるとしたら、彼が今日のショパンをどう弾くかってとっても興味があったね。ショパンをうんとデリケートに弾く人は多いけど、彼はちゃんと自分なりの解釈をするんだ。彼はショパンがどの曲をどの時期に作曲しているかわかっている。ショパンが海外にいて祖国ポーランドを憂えている時期だったら、怒りと焦りをもって弾く。そんな意味で今日のショパンはすごく面白かったよ」

「ふうーん、なんだかめんどうくさいわ」

「そんなことを言わないでよ。めんどうくさいなんて言われたら、僕はもう水越さんを誘えなくなっちゃうから」

「あら、そう」

思わず唇がゆるみそうになり、麻也子はあわててグラスを近づける。男が肝心なことをさらりと口にしたので、こちらの態勢を整えておく時間がなかったのだ。やがて麻也子は〝意地悪〟という手口を使うことにする。こうすると男たちは喜ぶし、麻也子も誇りを保つことが出来るのだ。

「工藤さんが私のこと、また誘ってくれるなんて思わなかったわ。でももうクラシックは嫌よ。だって二回聴いたけど、やっぱり興味が持てなかったんですもの。もうちょっとでつねられちゃうとこだったわ」

自分の左手をテーブルの上に置いた。十代の半ばの頃から毎日手入れをして、マニキュアを欠かさなかったその手はすんなりと美しい。もし麻也子が居眠りをすることがあれば、つねって起こすと言った工藤の言葉を、中指の動きでなぞってみせた。

「でも困ったなあ、僕は他に何の能もない。かろうじて音楽だけが得意課目なんですよ。それを取り上げられちゃったら、後はお手上げですよ」

この男は相当遊んでいるんだろうか、それとも無邪気さを装っているのだろうかと、麻也子は顔を上げて通彦を見つめる。横顔もよかったが、正面の顔もさらによかった。前髪が少し乱れて額にかかっている。中腰になり、それをかき上げ、唇にキスしたらいったいどんな気分だろうか。が、それは年上の女がするしぐさである。

「工藤さんっていくつなの」

既に躾《しつけ》をやめた唇は、誰に咎められることなくするりと言葉を発した。

「三十一歳ですよ」

「あら、若いのね」

「水越さんはいくつなんですか」

「女性に年をきくなんて、初歩のマナー違反よ」

「水越さんみたいに若くて綺麗な人だったら、いいんじゃないかなあ」

「もうおばさんよ」

その答えではかなりの年の差があるようにとられる。正確な数字を言った方が得策だと麻也子は判断した。

「あなたよりひとつ上よ」

「結婚して長いの」

やっぱり知っていたのか。麻也子は自分が落胆すると思ったがそんなことはなかった。奇妙な安堵感が拡がっていく。

「六年っていうところかしら」

「ふうーん。チケットのお礼におじさんに電話したんだ。水越さんと一緒にコンサートを聴いたって言ったら、おじさんがあの人は美人だけど人妻だって教えてくれたんで、いやあ、がっかりしたなあ」

らせた。

「あら、がっかりしてくれたの」

麻也子が素直に笑いかけると、そりゃあそうだよと、通彦は子どものように唇をとが

「あ、いいなあ、好みだなあって思わなきゃ、あの後食事になんか誘わないよ」

「じゃあ、私が結婚してるって知ってて、今日も誘ってくれたのね」

「ああ、水越さんがクラシックに興味持ってくれて、そのために僕とまた会ってくれるって思ったんだ」

「おあいにくさま。やっぱりまるっきり興味持てなかったわ」

二人は低く笑い合った。しかしこれですべて了解したことになる。おそらく彼は、これからコンサート抜きで麻也子に電話をかけてくるに違いなかった。

「それじゃそろそろ帰ろうか。また送っていくよ」

通彦は当然のことのように伝票を持った。麻也子は割り勘という風習が大嫌いであったが、それでも最初は儀礼的に半分持たせてくれと申し出たものだ。が、通彦は安いところにしか連れてこないからと言って、いっさい受け取ろうとはしない。今日の決して安くないチケットも彼のプレゼントだった。おそらく実家が相当の金持ちなのだろうと麻也子は推理している。

タクシーの中で、麻也子は再び通彦の横顔を見た。街の明かりの中を通り過ぎるので、

彼の顔は赤味を帯びたり、青ざめたりする。二本のワインのほとんどは彼が呑んだから、少しシートに寄りかかっている。しかし横顔の線がそれで崩れることはなかった。

手ぐらい握ってくれてもいいのにと麻也子は思う。二人が出会うきっかけからして、二回めでキスというのは、少し無理があるかもしれない。が、ほんのりと酔った男と女が寄り添って車に乗ったら、男がそっと手を伸ばしてくるのは自然のなりゆきである。

「どうしたの」

麻也子の視線に気づいたのか、通彦は顎をこちらに向ける。はからずも流し目のようになった。青い光が彼の頬を横切る。ああ、この男と寝たいと麻也子は鼻で息をする。今すぐこの男と寝たい。どうしようもないぐらいにだ。胸の動悸が早くなるにつれて、組んでいる足のその奥が潤っていくのがわかる。その熱さは自分でもてあますほどだ。寝たい、寝たい、寝たい……麻也子は今日聴いたピアノのリズムを思い出す。楽器を奏でるように、自分の思いを音楽にするとしたら、麻也子の場合、寝たい、寝たいという打楽器となる。全くどうしたのだ。こんなことは初めてだ。野村ともこんなことはなかった。

タクシーが麻也子と夫の住むマンションの前に止まった。

「じゃ、おやすみなさい。また会社に電話をするよ」

車に乗ったまま男は言い、そのままタクシーは走り去る。ひとり残された麻也子は、そろそろと一歩ずつ前に進んだ。よく勃起《ぼっき》した男性が歩けなくなったというが、女でも時たまそんなことがある。膿《うみ》のように濃い液が内股の奥にたまる結果、歩行が困難となるのだ。

麻也子は部屋に入ると、ジャケットより先にショーツとパンティストッキングをくるりと脱いだ。布がはっきりとわかるほど湿り気による重みを持っている。スカートの下は何もつけないまま寝室に行った。航一は既に寝ている。いつもあれほど口やかましく言っているのに、枕元のスタンドをつけたままだ。ベストセラーになっている精神医学の入門書が、広げられて枕の横にあった。

「航ちゃん……」

麻也子は夫の傍に身をすべらせた。航一はうーんとつぶやいて寝返りをうとうとしたが、その顔を逃さないように手ではさんでこちらを向かせる。

「航ちゃん、好き……。愛してるったら」

激しく唇を吸った。が、夫の舌はぐったりとしたままである。

「ヤダなあ……」

薄目をあけた。

「君、酔っぱらってるだろう。酔っぱらって帰ってきて、人を起こすの、やめてくれないかなあ……」

「ねえ、航ちゃん、航ちゃんたら……」

麻也子は再び夫の舌をまさぐる。今なら間に合うかもしれないと、揺り動かして教えたいくらいだ。自分は今別れたばかりのあの男と寝たいのだ。寝たくて寝たくてどうしようもないぐらいだ。が、いま航一がくるりと起き上がって自分を抱いてくれたら、どろどろに濡れ、熱を発しているものを救ってくれたら、自分は引き返すかもしれない。あの男は野村とは違うのだ。野村は時機がくれば別れ、忘れることが出来る。が、あの男と自分との間には、予想もつかぬものが拡がっているような気がする。

今ならあの男とまだ寝ていない。もし航一が自分を癒《いや》してくれたら、通彦を諦めてもいい。手に入れたいものを途中で放棄してもいい。

ところが航一はあろうことか、大きなあくびをし、勢いをつけて寝返りをうった。

「航ちゃん……、航ちゃん……」

麻也子は夫のパジャマのズボンの前に手を伸ばす。が、それも意外な力ではねのけられた。

「土曜日、土曜日だってば……。今夜は疲れてるからダメ……」

「あのね、航ちゃん……」

麻也子は夫の耳元に口を寄せる。巫女《みこ》のように予言と忠告をしてやるつもりだ。

「今夜のこと、きっと後悔すると思うわ。ああ、あの夜のことが原因だったのかって、後ですごく悔いると思うの。それでもいいのね……」

「ああ……、いい、いいよ……」

やがてすうーっと音を引くような寝息が聞こえ始めた。

麻也子は背中を夫の背にぴったりと密着させた。そして導かれるように、太ももに手をはわせる。さっきよりもはるかに潤っていた。出血多量で死んでいく人間はいるが、愛液が多量に流れ過ぎて死んでいく女はいないのだろうか。が、流れるだけ流れて、男によって堰止《せきと》められない女は、みじめさのあまり死んだようになるはずだ。麻也子はやがて指を動かし始める。夫にぴったり寄り添い自慰をすることほど哀しい復讐があろうか。

明日は野村に電話をしてみようと麻也子は心を決める。通彦にも抱かれず、夫にも抱かれない自分は、もう一人の男と寝るしか仕方ないのだ。夫はもはやそれほどの悪事を働いているのである。

「麻也ちゃん、今日は面白いところへ行こうよ」

タクシー乗場に向かいながら、野村は早口で言った。

「ほら、麻也ちゃん、変わったところへ行きたいって言ってただろ。だからいろいろ調べておいたんだ」

どうやらその種のホテルを指しているらしいと麻也子はすぐにわかった。

「でも、あんまりヘンなところは嫌よ」

「わかってる、わかってる……」

野村は何を思い出したのか、くっくっと唇をゆがめた。

「ほら、麻布に有名なSMホテルがあるだろ。うちの会社の奴があそこに出入りしているのを見つかったことがあるんだ。うちの連中はしょっちゅういろんなホテルで悪いことしてるけど、さすがにSMとなると申し開き出来ないよなあ」

広告代理店の第一線にいる野村の舌にかかると、秘密の性癖もそんな風に滑稽なものになるらしい。

「未だにあいつの名前が出ると、すぐにSMって誰かが言うもんなあ。ちょっと可哀相なんだ」

今度ははっきりと声をたてて笑った。

それが予感となって麻也子は立ち止まる。

「そこ、どういうとこなの」

野村と会っているのは、いつもきちんとしたホテルである。バーで待ち合わせをし、そのままエレベーターで途中の部屋に向かうというのがいつもの道のりであるが、これだといくらでも申し開きが可能だ。以前野村も言ったことがある。

「ホテルのバーやラウンジが、どうして最上階にあるか知っているかい」

男と女がエレベーターで乗り降りしても、余計な詮索をされないためだというのだ。なるほどシティホテルと呼ばれる場所のエレベーターはどこも明るく大きい。決して途中の小部屋に寄るためではない、月と夜景が見えるラウンジで、ひとときの楽しい酒を飲むのだと、恋人たちが堂々と乗り込んでいく。

けれどもラブホテルと呼ばれるところだともう言いわけは出来ない。麻也子は危険な方へ足を一歩踏み出すことになる。

確かに「特別のことをして」とねだったのは自分であるが、やはりいざとなるとためらいの気持ちが起こる。

「僕はもちろん行ったことがないけど、すごく面白いところらしい。中が豪華でバーセットやカラオケもちゃんとある。芸能人もよく使うところらしいよ」

そんな心を見透かしたように、野村が楽し気に言葉を重ねる。実のところ、麻也子の動悸はとうに早くなっているのだ。

アダルトビデオというものを、じっくり見てみたいし、震動するベッドというものも試してみたい。麻也子は独身時代、数回そういうところへ行ったことがあるが、ほとんどがスキー帰りにたまたま寄った平凡なラブホテルである。風呂場やトイレが清潔でないような気がして、あまり好きになれなかった。

それに当時の女子大生にとって、そうしたホテルよりも一流ホテルのダブルの部屋の方が、はるかに価値のあるものだったはずだ。夫の航一やその前の恋人にしても、つき合っていた頃はかなり無理をしてでも都心のきちんとしたホテルを毎回予約してくれたものである。

けれども麻也子はその「すごく面白いところらしい」ラブホテルへたまらなく行ってみたい。そこでならどれほど大胆で愚かしいことが出来るであろうか。壁の厚さも調度品、ベッドのシーツの色も、シャワーや風呂の形もすべて快楽のためにだけ設計された部屋へ行き、放恣《ほうし》に足を広げる。

それは考えれば考えるほど素敵なことだった。しかし、そこへ行くまでの道のりを思うと、麻也子の足どりは重くなる。

その密室での大胆さを激しく願い想像すればするほど、麻也子はそこへ行くまでが臆病になるのだ。野村は車で来ていないから、そこの駐車場から直行することも出来ないはずで、テレビドラマなどによると、タクシーを乗り降りしたり、歩いている最中に、人妻は知人に目撃されることになる。

「歩いているところ、誰かに見られたら嫌だわ」

「平気、平気」

野村は若者のように肩をすくめた。

「この頃のホテルはさ、フロントに頼めばすぐにタクシーを呼んでくれるってばさ」

車の中で、麻也子はまた自分の体から濃縮された液が流れ出すのに気づいた。が、それは通彦の時のように男に対しての欲望ゆえではない。この上なく淫《みだ》らだという部屋が、麻也子をしとどに濡らしているのである。


東京でいちばん高級なラブホテルというだけあって、内容もなるほど豪華だ。白いソファの前には、大型画面のテレビとカラオケセットが置かれていた。

「こりゃあ、いいね、今度会社の忘年会で使えるかもしれないな」

野村は大層機嫌がよい。ソファに寝そべるようにしてビールを飲んでいる。

彼はこの部屋に入ってくるなり、スーツを脱いでやおら寝巻きに着替えたのだ。それは見れば見るほど奇妙な浴衣だった。すとんとした形は古代人の服を思わせる。背の高い野村がそれを着て、前を紐で結わえると、中途半端に毛深い脛《すね》がむき出しになった。

「麻也ちゃん、ほら、お待ちかねのこれ」

野村が手元のリモコンを押すと、四十二インチの画面に、からみ合う男と女の図が浮かび上がった。女は男の股間に顔を埋め、しきりに上下している。一応モザイク処理はされているのであるが、男の黒々としたものはそれとなく見える。

「これだけ大きい画面だと迫力があるね」

野村は麻也子の肩に手を伸ばし、おどけて言った。

「こんなコより、麻也ちゃんの方がずっとうまいよ」

それにしても野村の格好は滑稽だった。ホテルの備えつけのこの寝巻きは男女とも同じかたちで、これからセックスを楽しもうとする男と女を、中性的に見せるのだ。

麻也子はいくら勧められてもこれをまとう気になれず、シャワーを浴びた後も、ニットのワンピースをまとっている。それは今年流行のやわらかく光る色だ。さっき風呂場でブラジャーはつけなかったから、胸のかたちはあらわになっている。野村はビデオに見入るふりをしながら、麻也子の胸をいたずらする。親指とひとさし指を使って、ニットの下の乳首を立たせようと必死なのだ。

「ねえ、麻也ちゃん」

野村は左手で麻也子の胸をまさぐりながら、右手でつうとファイルを引き寄せる。ホテルのサービスや規約のパンフレットが入った平凡なものだ。が、彼は中から一枚のビニールコーティングされた紙片を取り出す。南の深海でうごめく生物のようなものが並んで写っていて、「恋人たちの小道具」とあった。

「ねえ、麻也ちゃん……。これ、使ってみようよ。たまにはさ、ちょっと変わったことをしてみるのもいいかもしれないよ……」

麻也子はそれがバイブというものであることがわかった。しかしいったい誰がそんなことを教えてくれたのだろうか。麻也子は男性が好んで読む雑誌の類を、もちろん手にしたこともない。いくらあけすけな女友だちといっても、この品物の名を口にしたことはなかったはずだ。それなのに麻也子は、それがどういう名前で呼ばれ、どういう目的で使われるかちゃんと知っていたのである。

「なんか、こわいからイヤ……」

「こわくなんてないからさあ。絶対にやれば面白いからさ。ね、ね、ちょっとだけやってみようよ。こわくなったらさ、途中でやめればいいんだからさあ……ね、ね……」

野村はいつになく執拗である。麻也子の両の乳首はいつのまにかぴんと立って、それが承諾のしるしとなった。

「どれどれ、それじゃ、麻也ちゃんのために、僕が選んであげようね」

野村はいそいそとした調子で、パンフレットを掲げる。それを麻也子の鼻先に持ってきてくれる。

「この三番のトロピカルナイトはどうかね……。いや、麻也ちゃんにはちょっと大き過ぎるかもしれないね。それよりもこっちのピンクのチェリードリームにしてみようか」

野村は語尾に奇妙な節をつける。麻也子は、自分は今かすかに口を開けているはずだと思った。いつものホテルの部屋ならぎりぎり保たれているものが、いまここでゆっくりと溶けていくのがわかる。

「それじゃ、これにしてみようよ。初心者向けって書いてあるしね……。じゃ、フロントに電話をしてと……」

この部屋は強い消毒液のにおいがする。たとえ男と女が同じようなことをしても、普通のホテルにはこのにおいはない。いったいどうしてなんだろうか……。

歯医者の機械が口に入る直前の患者のように、麻也子は必死で別のことを頭に思いうかべようとする。

恵比寿ガーデンプレイスの中の劇場で、二人はイタリア映画を観た。二組の恋人をめぐって起こる悲喜劇である。

「こういう方がずっといいわ。コンサートと違って、とにかく字幕がついてるんですもの」

麻也子が言うと、通彦《みちひこ》は〝まいったなあ〟とにっこり笑う。今やクラシックのコンサートがいかにつまらないか、麻也子がいかに苦手かというのは、二人の間でかわされるジョークの定番なのである。

混雑しているガーデンプレイスを出て少し歩くと、右側に小さなカフェテラスがあった。おそらく昨今のテラス人気のため、大急ぎで改築したものだろう。そこかしこから、まだペンキのにおいが漂っている。麻也子はふと、おとといのラブホテルでの消毒液のンのにおいを思い出した。が、すぐに首を横に振る。陽光に向かってはなたれる、このペンキのにおいの清潔さとあれとを比べてはいけないのだ。

「よく日曜日に出てこられたね」

「どうして」

麻也子は大げさに肩をそびやかした。

「そんなの、全然関係ないわよ。彼はね、日曜日にはたいてい実家へ帰るの。私は行かない方がいいの。彼は自分のうちに帰って、のんびりと好きなように過ごす。私は友だちなんかとどこかへ出かける。もうそういうことになってるのよ」

「そんなのおかしいよ。夫婦じゃないか」

その口調に真面目さがにじんでいたから麻也子は苛立つ。どうしてこの男は、しょっちゅう自分をはぐらかすのだろうか。今自分が望んでいるものは、真摯《しんし》とかいたわりではなく、むきだしの嫉妬なのである。

「夫婦でもそういうことになっているの。あなたは結婚したことないから知らないだろうけど、六年も一緒にいればね、夫婦なんてそんなもんよ」

「僕は結婚したことはないけど……」

通彦はエスプレッソをちゅっと飲んだ。

「女の子と一緒に住んだことがあるからわかるよ」

「まあ、そうなの」

嫉妬は麻也子の側に起こった。

「そんなの、知らなかったわ」

「だって一年ぐらいだもの。アメリカに住んでた時、やっぱり音楽家志望の女の子と仲よくなったんだ。あっちは同棲していると夫婦と認められるから、よく二人で一緒にパーティーにも行ったよ。僕ひとりで行くと、今日は彼女はどうしたんだって、皆に聞かれるんだ」

「ふうーん」

麻也子は世間話をする時の角度で頷《うなず》いたが、乾いた喉でつっかえるようになった。こういう場合、とがった声で抗議出来る女は二通りしかない。独身の女か、そうでなかったら相手の男と肉体関係を持っている女だ。

麻也子は二つの条件のどちらも満たしてはいなかった。

「でもね、さっきの映画、わりとよかったね」

それが癖で、通彦はのんびりと話題を変えてくる。

「ミラノの街がいっぱい出てきて懐かしかったなあ。ねえ、麻也子さんはイタリアへ行ったことある」

「大学の卒業旅行で一度だけね。それもヨーロッパ四カ国をまわったから、ローマは二泊だったわ」

一緒に行った友だちとそれこそブランド品を買い漁ったものだ。スペイン広場の前の商店街を、買物袋を抱えて走りまわった。

「ほら、十年前って海外ブランドが異常に人気が出始めた頃でしょう。私たち、就職したら返すっていう約束で、親に借金しまくったもんだわ。もちろん返した人の話なんか全然聞かないけど」

「何かあの頃って楽しかったね」

通彦がしんみりと言う。

「勝手なことをしても許されるっていう空気があったよね。バブルはまだ来なかったけど、みんなうきうきしてたしなあ」

「どうしたの。急に年寄りくさいこと言っちゃって」

「僕はさ、ぼんやりと夢みてたことがあって、それは高等遊民になれないかなってことなんだ。人に話したことがない望みだけど」

「コートーユーミンって何なの」

「これといって仕事を持たずに、趣味だけで生きている人間さ。よく漱石の小説に出てくるじゃないか」

「漱石なんか読んだことないわ」

「普通そうだけど、まあ、そういうもんがあるんだ。僕はどうも就職する気がなくて、ずうっとこんなことをしてきたけれど、この頃はまわりがうるさいんだ。親からも嫌なことを言われる。できれば来年からイタリアへ行こうと思ってるんだ」

「留学するの」

「この年で学生やるのもしんどいから、どこかの大学に研究員の形で入ろうと考えているんだ。とにかく今の日本はぎすぎすしていて、高等遊民志望の僕には、本当に生きづらいよ。美しくやさしい心の持ち主は海外に行くしかないのさ」

そして通彦は麻也子の目を見つめた。今の言葉で自分が笑うかどうか確かめているのだと麻也子は思い、小さく微笑もうとした。

通彦は特にこれといった感情を込めずに続ける。

「麻也子さんが結婚してなかったらなあ……。一緒についてってもらうんだけどなあ……」

男の言葉はあまりにも淡々としていたので、麻也子は冗談としてとらえることにする。

「それ、ルームメイトとして部屋代をシェアしようってこと」

「いつもそうやってはぐらかすんだから」

通彦は初めて抗議ということを行なった。

第六章　恋

茶を飲み終えても、初夏の夕陽はまだ高かった。別れがたい恋人たちがそうするように、麻也子と通彦《みちひこ》はだらだらと街を歩いた。

代官山はそんな二人にうってつけの処《ところ》だ。小さなギャラリーの傍には、ヨーロッパのアンティックを扱う店があり、こまごまと愛らしいものを扱っているブティックも多い。そんな一軒で、麻也子は写真立てを見つけた。赤や青の貴石を使い前衛的なオブジェのような形だ。裏を返すとニューヨークという文字があった。

「ソーホーで、こういうものばっかり扱ってる店があるよ」

通彦が言った。

「あそこはもうアーティストなんかいない、ってよく言うけど、若い人の作品を集めた店は結構あるんだよ」

「ふうーん、そうなの」

麻也子はまだニューヨークへは行ったことがない。だから少々重たげなあいづちになった。いつもではないが、自分の知らない人物や街について教えられる時、麻也子は不機嫌になることがある。ましてや今のような場合なおさらだった。けれども通彦はその写真立てを、さりげなくレジに運び、麻也子に贈ってくれる。一万円をちょっと超えるほどの値段が、二人の関係を象徴しているようであった。肉体関係はまだない。女は人妻である。しかし二人の間には否定しがたい感情が発生している。

こうした時に一万円のプレゼントというのは、まさに適正ではないだろうか。これ以上高価なものになると、女は通念上遠慮しなくてはならなくなるし、これ以下のものになると〝おもちゃ〟となって女の記憶に残らなくなる。

「贈り物ですか」と店員は尋ね、通彦は「そうですよ」と答えた。女はやや丁寧過ぎるほど慎重に包装を始めた。それを麻也子と通彦は並んで眺めている。こんな時、たいていの女がそうなるように、麻也子はしみじみとした喜びにつつまれていく。

こんな風に男からものを貰ったのは何年ぶりだろうか。独身の頃の麻也子には、ものを贈られる理由があった。が、今はない。だから男たちは麻也子を何の欲望も持たぬ清教徒のように扱うのだ。ただひとり麻也子にものを贈る義務を持つのは夫の航一であるが、この三、四年彼は会社の忙しさを理由に、麻也子の誕生日にさえ非常に怠慢な態度をとる。

「何か欲しいものがあったらさ、自分のクレジットカードで買っといてよ。ボーナスの時に精算するからさ」

夫の無関心にかこつけて理不尽なことをする気にはならなかったが、少々腹をたてた麻也子は、誕生日にブランドもののスーツを買うことにしている。ボーナスのたびに航一は、クレジットカード会社からの請求書を眺め、どうして女ものスーツが十何万もするのかとこぼすのであるが、とにかく払ってくれる。そんな風にリボンも花束もない誕生日が、この何年か続いているのだ。

野村にしても、麻也子には何も買ってくれたことはない。下請けにデートの請求書をまわすなど、いろいろとやりくりはしているらしいのだが、どうやら彼は麻也子との食事代やホテル代で手いっぱいの様子だ。贈り物をしてくれることなど念頭にないらしい。

さまざまな思いの中で、麻也子は素直に礼を口にした。

「どうもありがとう、嬉しいわ」

「そんなふうに言われると困っちゃうよ。たいしたものじゃないから」

「でも嬉しいわ」

「今日の記念だよ。映画もよかったし、すごく楽しかったたいい日だからさ」

〝記念〟という言葉は意外な重さを持って麻也子を打ちのめす。それは〝思い出〟よりもはるかに冷たい響きを持つ。〝記念〟という言葉の持っている儀礼的なことといったらどうだ。鋳型にはめて硬くつくり上げ、遺物としてどこかへ置こうとしているようだ。麻也子はそうした嫌な言葉を受け止めた自分の哀しみを、ひとり胸にしまおうとした。が、麻也子は本質的にそういうことが苦手である。それよりも拗《す》ねた方がずっといい。

「私、今の言い方、あんまり好きじゃないわ」

店を出るなり小さく叫んだ。

「えっ、何が」

「記念だなんて、もうこれっきり、みたいな言い方じゃないの。これで僕のことを思い出してくれみたいな……」

「考え過ぎだよ」

通彦は麻也子の大好きな笑顔を見せる。

「普通、記念っていってそこまで考えないよ。麻也子さんはいつもそうだね。言葉のひとつひとつを深く真面目に考えるんだ。他の人が考えつかないようなことが浮かぶんだ」

「そうかしら」

もちろん麻也子は悪い気はしない。この男は少し自分のことを買い被《かぶ》っているとさえ思う。買い被りは、男の気持ちが既に愛情すれすれのところまで来ている何よりの証《あかし》だ。

たそがれの菫色《すみれ》の闇は少し熱を持っていて、麻也子の額や腕は汗ばんでき始めた。ゆっくりと歩いた甲斐があって、ようやく夕食の時間が近づいてきた。夕食を共にすれば、二人はもっと長く居ることが出来るのだ。

「よかったらうちで食事をしないか」

通彦が言った。

「僕がつくるよ。ほら、前に話したじゃないか、僕のつくるパスタは相当のもんだって。あとはサラダぐらいしかつくらないけど、そこらへんのイタリアンレストランよりうまいと思うよ」

「あら、いいわね」

麻也子ははしゃいだ声をあげたが、とっさに頭にうかべたのは、イタリア仕込みとかいうペペロンチーノのことではない。激しくからみ合う自分と通彦の姿である。男が部屋に来ないかと言ったら、それは当然起こるべき事態である。この三カ月、定期的に会い続けていたが、通彦はどうやら機が熟したとみているのではないだろうか。

「そこのスーパーで、野菜を買ってこうよ」

「じゃ、サラダは私がつくるわ」

「いいよ、いいよ、麻也子さんは今日はお客さんだ。僕のドレッシング、一度食べてもらいたかったんだ」

店に入り、野菜を選んだ。二人とも何かに憑かれたように、トマトの色について語り、好きなドレッシングの味について喋った。まるで仮そめの目的に、本当に命を与えようとするかのようにだ。通彦のマンションがある三宿に向かうタクシーの中でも、麻也子は喋り続け、通彦はそれに応える。

「庖丁とかまな板はあるのね」

「おかしなこと言わないでよ。僕はちゃんと一人でもつくってるんだから」

「あ、そう、そう、パンは大丈夫？」

「このあいだ、友人が、会員制の店で焼く天然酵母のやつを持ってきてくれた。それを冷凍してあるよ」

「まあ、おいしそうね」

麻也子の腕が通彦の肘《ひじ》に触れる。彼は綿の長袖のシャツを着ていたから、素肌を感じることは出来なかった。しかし火照っているのはわかる。

麻也子は自分たちが俳優で、これから劇場に向かっているようだと思う。しばらくはパスタとワインに夢中になるふりをするのだ。それを自分はうまくやりとおせるような気がする。そして失敗するのは通彦でなければならなかった。男の力でいきなり幕をびりりと破いてほしいのだ。

「ああ……」

麻也子は思わずため息をつき、自分でも驚いて必死に言い繕った。

「お腹が空いたわ……。早くおいしいものを食べたいわ」

本当にそうだねと通彦は言った。


なるほど通彦のつくったパスタはうまかった。オリーブ油は、本場のものを専門店で買うのだという。クルミの入ったサラダも凝っていて、白ワインとよく合う。

「どこでこんな料理覚えたの」

「自然に覚えちゃうよ。僕は三カ月イタリアにいた時、ホテルじゃなくて安い下宿屋にいたのさ。そこのおばさんをおだてたら、いろいろ教えてくれた。イタリアの主婦っていうのは、九八パーセント料理自慢なんだ。味を誉められるとすごく喜ぶ」

通彦が食後酒の用意をするために再びキッチンに立っている間、麻也子はあたりを見渡した。思っていたよりも広い2LDKだ。開けっぱなしにしてある部屋は、おそらく仕事部屋なのだろう。横文字の本がぎっしり並んだ棚が見える。それよりも目をひくのはオーディオ装置で、アンプだけで四つ、縦長の特別の家具に入れられているのだ。

「すごい機械ね」

「やっぱり僕にとって商売道具だからね。こういうものにはつぎ込むよ」

通彦はグラスに入れた食後酒をいったんテーブルの上に置き、仕事部屋に入った。戻ってきた時は、一枚のLPレコードを手にしていた。居間に置いてある装置の蓋を開けると、古めかしい針が現れた。

「音楽やる人はみんな同じことを言うんだけど、僕はCDのあのぎすぎすした音がどうしても好きになれないんだ。ちょっとこの音と比べてみて……」

通彦の目には、麻也子が嫉《ねた》ましくなるほどねっとりとした色が浮かぶ。もう製造されていないというレコード針を落とすと、甘く端整な女の声が流れ始めた。

「これ、何ていう歌なの」

「プッチーニの『私のお父さん』だ。フレーニの若い時の録音だけど、ね、CDと比べものにならないずっとずっとふくよかな音だろう」

どこかで聞いたことのあるメロディだ。通彦によると、日本の映画でも使われたことのあるほど有名な曲だという。

「オペラの中で歌われたけど、オペラよりもこっちの方がずっと有名になった。娘が、父親に、あの人と結婚させて、そうでなきゃ橋から身を投げて死んじゃうからってねだる歌だよ」

「随分わがままな娘ね」

「それほど結婚したかったってことだろう」

グラスを取ろうと通彦は立ち上がった。それを受け取ろうと麻也子は立ち上がった。

そして二人、椅子の横で向かい合う格好になった。何も言わず通彦は麻也子を見つめる。女を抱こうとする直前の男特有の、あの怒ったような目になっている。唇も固く結ばれたままだ。

通彦は一歩前に出、麻也子は反射的に目を閉じた。同時に男の唇を迎えやすいように顎を上向き加減にする。

激しく唇を吸われた。けれどもそれは短い時間で、舌を入れる間もなく、彼は顔を離した。羞恥が麻也子を襲う。野村の時とはまるで違う。昔さんざん関係があった男ではなく、目の前にいるのはまっさらの、キスをしたばかりの男なのだ。麻也子は人妻という道義上からも、自分の自尊心を守る意味からも、言いわけをしなくてはいけないととっさに思う。

「こんなつもりじゃなかったのよ」

世にも陳腐な言葉が出た。

「あなたが食事しようって言うんで、それで私、あなたの部屋も見たかったし……。それなのに困るわ。いけないことだと思うし」

「寝ようか」

もうこうなったら諦めるしかないというふうに、同時に強い確信を持って通彦は言った。麻也子はこれほどセクシュアルで男らしい誘いの言葉を聞いたことがないと、家に帰ってから何度も思い出すことになる。通彦は「寝ようか」という言葉で、麻也子のすべてのもの、拒絶も見栄も弁解もすべて封じてしまったのだ。

「こっちだよ……」

通彦はもうひとつのドアを開けた。小さなあかりがついていて、そこにはアップライトのピアノとベッドが置かれていた。白いカバーのベッドと黒いピアノはひどく似合っていて、楽器さえも何か卑猥な意味を持っているかのようであった。

左手で器用にカバーをはがしながら、通彦は麻也子をそこに横たわらせた。キスを続ける。外国で暮らした男らしく、舌を巧みに動かすが、それは決して嫌らしいものではなかった。

さっきの「寝ようか」という言葉で、呪縛を解かれた麻也子は大層大胆になる。せわしなく通彦のシャツのボタンをはずし、麻に似た素材のパンツに手をかけた。ベルトの金具がカチャリとはずれる音を、このうえない幸福の始まりのように麻也子は聞いた。

「麻也子さん、見てよ」

通彦はブリーフからはみ出したものを指し示す。

「さっきから麻也子さんのことをずっと思ってたから、こうなっちゃったんだよ」

「本当、嬉しい……」

麻也子はためらいなくそれに口唇を近づけた。情事が行なわれるのはたいてい闇の中だし、麻也子は男の性器の大きさやかたちを比べるような性癖を持っていない。が、通彦のそれは野村のものよりも、ややほっそりしているような気がする。その分先端のくびれが大きく、野村から教えられたとおり、ぐるりと舌でなめまわすと敏感に反応した。

「今度は、麻也子さんを、見せてよ」

麻也子はあおむけになる。いつのまにかピンク色のブラウスのボタンはすべてはずされていた。

通彦は几帳面にブラウスを脱がせ、ブラジャーの背中のホックもきちんとはずそうとする。一連の作業は極めてなめらかに行なわれた。音楽家をめざしていた彼の指は長く美しく、絹やレースや女の肌によくなじんでいるようであった。

「麻也子さんって、本当に綺麗だね……」

キスの後、通彦の指は再び活発に動き始める。焦《じ》らすこともなく、的確な頃合に麻也子の中心部に指を這わせる。麻也子はひいっと小さな叫び声をあげた。快感がくるりとむかれて、すっかりむき出しになっているところだ。指の感触があったと思ったら、それは唐突に舌に変わったのである。やわらかくざらついた舌は、この上なく誠実に麻也子の歓びを探しあてようとしていた。いつのまにか麻也子の爪先から痙攣《けいれん》が始まる。そして珊瑚《さんご》色の割れ目に快感がドレープのようにたまっていく。いつしかそう奥深くはなく、麻也子の体の中、尻と恥毛の中間のあたりで、せわしなく何かが開いたり閉じたりし始める。

「もう……だめ……」

「何言ってるんだ。これからだよ」

さっきと同じように、きっぱりと男が言った。

通彦はそう大きな男ではない。肩も腕も指も、いかにも音楽を好む人間らしく、うっすらとした肉がついているだけだ。

切れ長のひと重まぶたは、育ちのいい男だけがもっている端整さである。時々神経質にそれはしばたたかれ、麻也子でさえ自分が我儘なことをしているのではないかと気になるほどだ。

いまその涼やかな目は、つり上がっている。闇の中でもそれはわかる。なぜならさっきから、通彦は傲慢な独裁者になっているからだ。麻也子はやや乱暴に後ろ向きにされた。

「手をさ、こうやってみてよ」

ベッドのボードのへりをもたされた。こうやると麻也子の乳房は盛り上がるようになり、愛撫しやすいということらしい。

麻也子の体のように寝室の中ではすべてのことがひっくり返った。男のおっとりしたしぐさは執拗さになり、やさしさはこのうえない卑猥さとなる。麻也子はそのことに驚いているような気もするし、ずっと前から知っていたような気もする。

通彦がねっとりとした口調で、自分の愛するピアニストや指揮者について語る時、麻也子は小さな咳払いをしたものだ。唾がうまく呑み込めなかったためであるが、あれはまさしく期待からくる体の正直な反応だったのだろう。

偏愛ということが出来る男は、きっとねちっこい愛し方をするはずである。バッハが、ヴィルヘルムがとつぶやく男の口から、麻也子はさまざまな性に関する専門用語を聞いてみたい。英語もドイツ語も喋ることが出来る男というのは、単語や感嘆詞や、そして最後のつぶやきをどんなふうに言うのであろうか。

男が女を裸にし、抱き締めた時に知り得る多くの秘密は、そのまま彼の喜びになるが、それは女とて同じである。野村は、外見どおりの好色さと洗練されたテクニックを見せるが、それは意外性がないといえないこともない。そこへいくと、通彦のこの素敵さはどうだ。彼の体は意外なほどやわらかく、男にしては肌もなめらかである。二人の密着している部分は、いつのまにか湿り気を持ち始めていた。が、もちろんいちばん水分を含んでいる部分は、二人の肉体が内部でからみあっている場所だ。まるで打楽器を打つような正確な間を持って、彼は前後運動を続けている。

高価なアップライトピアノと洋書の傍で、彼は猛々しい野良犬のような姿勢をしている。それはかっきりとした映像となって、麻也子の瞼《まぶた》に拡がっていき、強い興奮をもたらす。三十分前まで、フレーニのレコードをいじっていた指が、後ろから麻也子の乳首を固くはさんでいるのだ。

なんて気持ちいいんだろうかと、麻也子は腰を高く上げる。通彦のリズムにいつのまにか合わせている。今まで後ろからのこの姿勢はあまり好きではなかったのに、この心地よさはどうしたことだろう。おそらく通彦の角度と自分のそれとが合っているに違いない。

通彦は突然低いうめき声をあげた。そしてあわてて、麻也子を元のあおむけにする。夫の航一と同じだと、麻也子は思う。二、三の体位のバリエーションを試すものの、果てる時は正常位と決めている男はいるものである。

そのかたちになっても、通彦のリズムの正確さは変わらないが、もはや麻也子の胸をいじる余裕はないようで、両手は枕と麻也子の髪との境いめのあたりに置かれている。

麻也子は男の背を上下に撫でてやる。それは野村にもしなかった優しさである。通彦の背は水分のために信じられないほどのなめらかさだ。なんと美しい肌だろうかと麻也子は思う。もともとこんなに綺麗な肌なのだろうか、それとも性交する時の変化であろうか……。

麻也子は自分のこんな心のゆとりが不思議でたまらない。醒めている、というのでもなく、感じていないわけでもない。それなのに目や触覚はとても澄んでいて、男の体やしぐさを反芻《はんすう》しているのである。

セックスの始めの頃に、いっきに押し寄せてきた快感は、いまなぜか静まっている。が、それはひとときの休息であった。通彦の打楽器の間は次第に短くなる。男の背を撫でていた、麻也子の手が宙にうく。

「あっ」

それはあまりにも唐突にやってきたので、麻也子は対応が出来ない。もう駄目だと言う代わりに、麻也子は男の背を強く叩いた。それは通じて、

「僕もだよ……」

と通彦はつぶやく。動きが止まった。通彦の体の中から熱い液が噴き出て、その熱が麻也子の入り組んだ襞《ひだ》の中を走っていくのを感じた。通彦は当然避妊具をつけていたが、それでもあたたかく染み込んでいく感触は、決して無粋なものに遮断されたそれではなかった。

二人はしばらく抱き合っている。男の胸から、つつとひと筋汗が流れ、麻也子は二人が交わっていた時間の長さをあらためて思った。

「すっごく、よかったわ……」

麻也子は賞賛の口づけを、男の髪にしてやる。

「僕もさ……麻也子は最高だよ」

いつのまにか、麻也子さんの〝さん〟が消えていた。男は何かを与えるたびに、たいてい女の名前を省略していくが、その省略はいつも深い喜びを麻也子にもたらす。

「私ね、すっごく幸せよ……」

本当にそうだ。全くどうしてこれほど幸福なんだろうか。麻也子は二回めの不倫をしたことになるのだ。以前よりも悪徳が身についたということではないか。

それなのに麻也子は、無邪気な喜びに包まれ、男の片腕に深く顎《あご》を埋める。

本当に幸せなのだ。心も体もぴんぴんに破裂しそうなほど満たされている。麻也子は以前からセックスしたくてたまらなかった男と、今夜寝ることが出来た。自分の願いがかない、それは想像していたよりも素晴らしかった。こんな経験をして幸せにならない人間などいるだろうか。しかし麻也子はそんなことを口にしない。自分の欲望の経緯は、愛らしいラブ・ストーリーに仕立てる必要があった。

「幸せよ、だって私、ずっと前からあなたのことを好きだったんだもの」

「僕だってそうだよ……」

男の声がくぐもっているのは、麻也子の髪に顔を埋めているためだ。輸入ものの高いリンスを使っているから、それはきっと甘いいいにおいがしているに違いない。

「麻也子が人の奥さんだって思ってても、やっぱり好きでたまらなかったんだ。ねえ……約束して」

彼の声が明瞭になる。おそらく顔を上げたのだろう。

「もう二度と、旦那さんとこういうことをしない、ってさ」

言った本人も、実行されるはずがないと思っているだろう約束であるが、ベッドの中にいる二人にはまことにふさわしい無理無体さである。

「わかった。約束する、もうこんなこと、絶対にしない」

顔をくるりと男の方に向け麻也子は誓う。約束を守らなければいけない男は、夫ひとりだけではない。実はもうひとりいるのであるが、そんなことは言う必要はなかった。


家に戻ったのは十一時過ぎである。しかし航一はまだ帰っていなかった。麻也子は浴室へ直行する。通彦のマンションのバスルームで、念入りにチェックしたから何も証拠は残していないはずだ。が、やはり自分の家の、いつもの照明で確かめなければ安心出来ないところがある。

麻也子は半袖の、とろりと甘い色のシルクのブラウスを脱いだ。下はラベンダー色のスリップを着ている。これは南麻布の輸入下着専門店で買ったものだ。イタリア製のこれは、上に着ていたブラウスと同じくらいの値段はしたのではなかろうか。

野村と関係を持つようになってから、麻也子は再び下着に凝るようになった。特に金を遣ったのはスリップである。スリップこそ不倫する女の必需品だと麻也子は思う。若い娘のように、いきなり裸になることも出来ない。そうかといって、いつまでも服を着たままだと、あまりにも色気がない。ホテルの浴衣など論外である。その点スリップは、裸と着衣のちょうど境いめになる。シャワーを浴びた後、もちろんブラジャーはつけずに、シルクのよいものをふわりと着る。そしてベッドまで歩く。時間の余裕がある時は、そのままビールを飲んだり、テレビを見たりすることもあるが、このほどほどの大胆さと、つつましやかさ、そして絹の贅沢さは、麻也子の芝居気をひき出し、どれほど罪悪感を希薄にしたことだろう。

いまその絹の下着のように、麻也子の首筋も胸元も、光沢と艶を持っている。あれはもう何カ月前のことになるだろうか。着替えようとして、麻也子はふと自分の肌の美しさに見惚れた。そして女盛りの自分を抱かない夫への恨み、人妻が持つルールのために、他の男に触れさせることの出来ない理不尽さを思ったのだ。あれから八カ月がたち、麻也子は二人の男と交わった。

不倫をし、秘密を持った女は、どんどん美しくなるというが、自分に限っていえば、顔はそう変わらないような気がする。眉を細くするメイクが流行り始めているから、灰色のペンシルで、アーチ型の長い眉を描くようになった。そのために、目元がかなりはっきりしたと、女友だちからは言われるが、眉を元どおりにしたら、たいした変化はあるまい。それよりもあきらかに変わったのは、服の下に隠された麻也子の肌である。膝や肘、それから太もものつけ根が、どのように触れられ、どのような役割を果たすかを知ったのは、十代の初体験の頃だ。麻也子はあの時にも劣らぬ熱意を持ち、肌の手入れに精を出している。風呂上がりに専用の化粧品を使い、マッサージをしているから、かかとも、肘も驚くほどすべすべになっている。が、夫はそれに気づかないはずだ。妻のクローゼットを開け、ラベンダー色のスリップを発見しないのと同じように、隠されているものは見ようともしない。それが夫というものであった。

麻也子は自分の美しい胸元に封をするように、パジャマを着て上からボタンをかける。スリップが不倫の必需品だとするならば、夫婦のそれはパジャマかもしれない。結婚してからというもの、麻也子はネグリジェというものを着なくなっているのだ。

化粧もすっかり落とし、パジャマのままで麻也子は夫を待つ。ソファにもたれるようにして、遅くから始まる音楽番組を眺める。まさか、こんな色気のない格好をしている妻が、二時間前まで他の男に抱かれていたとは誰も思うまい。

十二時近くなって、やっと玄関のドアが開く音がした。まるでテニスをするような白いポロシャツ姿は、あまり航一に似合っているとはいえなかった。

「ごめんね」

夫のいきなりの謝罪は、麻也子を少しびくりとさせる。

「ごめん、ごめん。遅くなっちゃってさ。もっと早く帰るつもりだったんだけどさ」

麻也子が、毎週実家へ行く自分を鼻白んで見ていることを航一は知っているのである。手にかかえていた包みを差し出す。有名デパートの包装紙にくるまれていた。

「お袋のママレード。これを貰うとさ、また夏が来るなあという感じがするよな」

全くそのとおりだ。姑のつくるママレードは、砂糖を入れ過ぎてやたら甘い。航一が時々トーストにつけているが、余ったら麻也子はすぐに捨てることにしている。もうそんなことをしている夏も、七年目になろうとしている。

航一も麻也子と同じように、浴室へ直行したが、それはどうやらシャワーを浴びるためらしい。温度の調節をした後、下着をとりにまたバスルームから出てきた。

「今日はものすごく暑かったね。真夏並だったってニュースで言ってた」

君はシャワーを浴びないの、と彼は尋ね、後にするわと麻也子は答える。石鹼は使わなかったが、情事の後でシャワーは既に浴びているのである。

「航ちゃん」

ブリーフとランニングを小脇に抱え、なぜか猫背になっている夫に向かい麻也子は声をかける。

「あのね、こんな暑い日は、シャワーじゃなくって、ちゃんと湯船に入った方がいいわよ。シャワーだけじゃ疲れがとれないわ」

「わかってるけどさ、もう睡たい」

ふり向きもせず、航一は首を横にふる。とても疲れているようだと思ったとたん、麻也子は突然胸を締めつけられる。それは間違いなく罪の意識というものである。どうしたことだろう。これは野村との時は、ほとんど感じなかったものである。野村と寝た時には理由があった。航一は麻也子が欲しがっていたセックスという楽しみを与えてはくれなかった。だから麻也子は、それを他の男に求めたのである。が、通彦とのことはどうだ。どうして今夜はこれほど後ろめたい気分になるのであろうか。

麻也子はふと、通彦の腕の中で「幸せだわ」とつぶやいたことを思い出した。他の男に抱かれ、人妻は決して幸福になってはいけなかった。それなのに自分は本当にそう感じ、口に出してしまったのである。

「感じる」とか「最高」という言葉は、他の男に言っても許される。が、幸せという言葉は夫によってだけもたらされるものだ。どうやら麻也子は、タブーを犯してしまったらしい。

帰りの電車の中で、何かの拍子に近くの席が空く時がある。そんな時、麻也子はとても嬉しい。集中して通彦のことを考えられるからだ。

朝、会長にいつもどおりトーストと紅茶を運んだ後は、電話もかかってこない時間で、麻也子はずっと暇を持て余していた。仕方なくぱらぱらと雑誌をめくったりしていたが、今はそんなことはない。椅子に深くもたれるようにして通彦のことを思い出す。コピーを取ったり、他の部署へ用たしに行く時にも、麻也子は思う。

「早くこの仕事を片づけて、通彦のことを考えよう」

煙草好きの人が、これを終えたら一服しようと思案するように、麻也子は何かの区切りに、

「通彦のことを思いうかべる」

ということを楽しみにしているのだ。

自分を抱こうと手を伸ばす直前、彼の切れ長のひと重の眼がどのように光ったか。

「寝ようか」

と言った時の声のかすれ加減を、記憶の壺から取り出しては、飴のように舌にのせて味わう。何度も何度もしゃぶっているうちに、いくつかの記憶は麻也子の唾液のために少し形を変えていたかもしれぬ。しかしそれでも麻也子は構わない。男をこれほどいとおしく思い出すことが、またあろうとは思わなかった。

自分は恋をしているのだ。

この結論は麻也子を有頂天にさせる。そうだ、自分は本当に恋をしている。三十を過

ぎた人妻の自分がだ。これは野村という比べるものがあったからわかりやすくなり、ますます恋という確証は深くなるばかりだ。

野村と寝た次の日も飴玉をしゃぶることはあった。しかし彼との思い出の中から取り出すのは、麻也子自身の快楽に関してのことであった。自分の太ももの筋肉がどのように波うったかということ、男の指に自分のやわらかい部分があっという間に反応を起こしたことなど、思い出すのは自分の体が知った楽しさである。

ところが通彦の場合は違う。男のしかめた眉や、闇の中の声を思い出しては麻也子はひとり身をよじる。考えるのはそのことばかりだ。全くどうしたことだろう、自分は本気であの男に恋をしているのだ。

「恋か……」

と麻也子はつぶやいてみる。そのとたん心が軽やかになり、同時に甘い桃色のもので締めつけられる。恋とわかってみれば、すべてのことが正当性を帯びてくる。二日前の夜、麻也子は通彦に抱かれ、二度も絶頂に達してしまったが、愛し合っている恋人同士ならば当然のことではないか。

麻也子はここで再びあらたな発見をする。割り切っているようで、自分は野村との関係に、どこか罪悪感を持っていたようなのだ。彼との性に執着や興味はあっても、愛というのとは違っていた。自分の中の、どこかまっとうで白い部分は、かなり緊張を強いられていたらしい。

ところが通彦に抱かれた自分の心と体は、これほどのびのびとして、晴れやかな気分になっているのだ。

「だって私は、本当にあの人のことが好きなのだから」

麻也子はうっとり自分に言いきかせる。独身の頃だったら、こんな素敵な恋は皆に言いふらすのにとさえ思う。

そこで麻也子に新しい困惑がしのび寄ってくる。もし抜きさしならぬことになったらどうしようかという恐れだ。

考えてみると、野村とのことは、人々の手本になりそうなほどの理想的な不倫であった。彼には妻子も社会的な地位もあり、何よりも遊び心を持ちあわせていた。麻也子のリードを許すような余裕もあったから、あの不倫は麻也子の意志で始まり、麻也子の意志で終わることも出来るはずである。

が、通彦とのことはどうしたらよいのであろうか。もう既に始まっているのであるが、どのように終わればよいのであろう。もしかすると彼の若さと独身という立場が、何か事件を起こすかもしれない。

事件という言葉が浮かんだとたん、麻也子は不安と恍惚のあまりほとんど息が出来ない。本当に神はどうしてこんな幸福を自分に与えてくれるのだろうか。こうした恐怖と紙一重の幸福は、選ばれた者だけが味わうものに違いなかった。

そして一方で麻也子は、恋人たちのきまりごとに従って、いくつかの習慣を始めている。それは男の部屋に電話をかけることだ。これは野村の時には考えもしなかった夜の楽しみである。

帰ってきてすぐの時と、夜の九時頃に二度かけてみたのであるが、留守番電話がまわっているだけだ。

「ただいま外出しておりますので、御用の方はどうぞメッセージを吹き込んでください……」

女の機械的な音が聞こえてきて、麻也子はすっかり腹を立てる。通彦はいったいどこへ出かけているのだろうか。初めて男と寝た少女の頃も、同じような憤りを感じたものだ。自分とそういう関係を持った男ならば、少なくとも四日間は、夜家にいて、電話の前にいるはずだと信じていた。

ましてや麻也子は人妻なのだ。通彦の方から連絡出来るわけがないのだから、彼は麻也子の電話を待っているべきなのだ。

「もし、もし……」

メッセージを吹き込もうとして、麻也子は絶句する。自分の声を残すことに抵抗があるのだ。通彦を決して信用していないわけではない。しかし、これとあれとは話が別だ。人妻というものは、最後の最後まで突っぱねることのできる態勢を整えておかなければならない。裁判所の被告席に立った時に、

「そんな男とは話をしたこともなければ、会ったこともない」

ときっぱりと言える状況は必要だ。女はそう思えば、心から誓うことが出来るが、問題は証拠である。手紙類はもちろん、こうした留守番テープも用心に越したことはなかった。

だから何も喋らず、乱暴に受話器を置いたが、今度は苛立ちのあまり麻也子は深いため息をつく。独身の女のようなことが出来ないとなると、自分はいったいどのようにして、通彦に連絡をとればいいのだろうか。今まで友人としてデートを重ねている時は、会った時に次の約束の時間と場所を決めた。

しかし激しいセックスをした後に別れる時、まさかお互い手帳を取り出すわけにもいかず、

「すぐに連絡するから」

という通彦の言葉を睦言《むつごと》のように嚙みしめるしかないのだ。

普段、そんなことをしたことはないのだが、麻也子はウイスキーの瓶を取り出し、グラスに半分注ぐ。それに氷キューブをひとつだけ入れた。ゆっくりと飲む。こういうこ

とでもしなければ、今夜は眠れそうもなかった。

ああ、本当に自分は恋をしているのだ。

夜の十一時になった。夫も帰ってこなければ、電話も鳴らない。麻也子はバスルームに入る。飲んだ後の風呂は体によくないというが仕方ない。ふだん寝酒というものをしないので、その順序がわからなかったのだ。

だがやはり気になったので、コードレス電話の受話器だけを持っていった。浴室のドアの前、脱いだ下着の上にそれを置く。自分の肌の暖かさが残っているショーツやブラジャーの魔力が、何かを起こすかもしれなかった。

湯船につかり、最近の習慣である首すじのマッサージを始める。この左側は初めて通彦の唇を受けたところでもある。キスマークがつくことを心配したが、彼は驚くほどの老獪《ろうかい》さで、さまざまな場所に力の濃淡をつけた。人目につく場所、特に首すじは専ら舌だけを使ったと記憶している。

それにしても電話は一向に鳴らない。ずっと以前、麻也子は自宅の電話番号を教えているし、待ち合わせの時間を遅らせてくれと一度電話がかかってきたこともある。だから通彦が知らないはずはなかった。それなのにどうして電話をかけてくれないのであろうか。おそらく麻也子の立場を考えて、遠慮しているのだ。今度通彦に会ったら言ってやろう。自分には学生時代から続いている男友だちが何人かいるのだ。彼らとは、夫公認の無邪気な関係で、夫婦何組かで食事をしたこともある。だから男からの電話もうまく誤魔化すことはいくらでも可能なのだ。それより何より、麻也子は航一の前でうまく言い繕うことが出来る。

「あら、元気……。久しぶりね、奥さんは元気かしら。また一緒に何かやりましょうよ……」

女優そこのけの演技とて出来る。それなのにどうして通彦は電話をくれないのだ。

マッサージも済み、髪も洗った麻也子は浴室から出て、受話器を軽く爪先で蹴った。下着のぬくもりはすっかり消えていて、その受話器も湯上がりの肌には冷たい。

突然大きな疑惑がわき上がった。

通彦は本気でないのではなかろうか。自分とのことはゆきがかり上のことと考えているのではないか。野村とのことも自分から仕掛けたにもかかわらず、麻也子はいつも自分が理不尽な目にあっているという思いを消すことが出来ない。男と女が出会い、セックスをしたら、男の方が絶対に得をしている。これはあたり前過ぎるほどあたり前のことではないか。そうでなかったら、男はどうして売春婦に金を払ったりするのであろう。いくら「愛している、愛している」とつぶやき合って足をからめたりしても、男の方が与えられるものはずっと大きい。そうだとしたら代償に電話をかけるくらいのことはあたり前のことである。たとえ危険を冒すとしてもだ。

麻也子は突然化粧水をはたきつけていた手を止める。そして受話器をわしづかみにした。口惜しいことに、通彦の家の電話番号は指が憶えていた。

が、呼び出しの音が違っていることに麻也子は気づく。留守番電話かどうかというのは、最初のベルの音でわかるものだ。機械を通すから濁って聞こえるのである。澄んだ音がして三回もしないうちに、

「もし、もし」

という男の声に変わった。麻也子はうろたえる。いないと思った男が電話に出たのだ。ゲームで一点先取されたような気分になった。

「あ、もし、もし、私ですけども」

麻也子は不機嫌をあらわにする。なぜなら電話をかける理由がなにもないからである。現代においても、電話というこうした後朝《きぬぎぬ》の儀式は男の方からするのが普通なのに、自分の方から連絡をとってしまった。が、いったんずたずたになった麻也子のプライドは、一瞬のうちに修復される。

「あっ、麻也子……」

男は万感の思いを込めたように、言葉を飲み込んだのだ。

「僕の方から連絡しようとしてたのに、ずうっと出来なくて、どうしようかと思ってたんだ」

「嘘よ」

麻也子は、意地悪く叫ぶ。

「今だってあなた、ずうっと出かけてたじゃないの」

「新聞社の人と打ち合わせをしてただけだよ。バーから君に電話をしたくてしたくてたまらなかった。だけどこの時間じゃ——」

ここで彼の言葉は途切れ、やや間があった後に、いかにも発音しにくそうに続ける。

「君のダンナさんが家にいるんじゃないかと思ったんだ。だから電話出来なかったんだ」

「大丈夫、この頃、遅いのよ。だから夜、電話をくれても平気よ。そうじゃなかったら会社の方にしてよ」

麻也子は声を潜め、それで二人の共犯者としての記憶がいっぺんによみがえる。

「そうよ、会社の方に電話してくれればいいのよ」

「あっちはもっとしづらいよ」

通彦は低く笑い、そうねと麻也子は言った。通彦は麻也子のボスである会長に可愛がられていて、親戚同然の間柄なのだ。麻也子のところへかかってくる電話を会長がとることはあり得ないが、それでも万が一ということがある。

「ずうっと麻也子のことを考えていたよ」

「私もよ……。でも困るわ」

「何が困るんだ」

男の咎《とが》めるような声が、しみじみと嬉しい。

「だって、あんまりあなたを好きになるのが怖いの」

「馬鹿を言ってらあ……」

彼は不意にやくざな口調になった。

「もっと僕のことを好きになってくれよ、そうでなきゃ嫌だ。中途半端なことは絶対に嫌だ」

「うん」

それがどういうことを意味しているのかわからないまま、麻也子は少女のようにこっくりと頷く。

「それじゃ、この時間に電話をかけていいんだな」

「でももっと早くしてくれた方が確実だと思う」

「あのさ、テレメッセージかケイタイを持ってくれないかな、僕専用の。今度会った時に渡すよ」

「ケイタイ電話なんて困るわ。あんな重たいもの」

「重たくなんてないよ。いったい何年前の話をしてるんだ」

二人はしばらくやりあった後、結局テレメッセージを持つことが決定した。そして次に会う場所も時間もすばやく成立した。

「じゃ、あさって。七時に僕の部屋で」

「わかったわ」

受話器を置いたのと、玄関のドアが開く音がしたのとはほぼ同時だった。

「ああ、暑いなあ……」

間延びした夫の声が近づいてくる。

「お帰りなさい」

麻也子はにっこりと微笑む。電話を切ったとたん、夫が帰ってきた。この実にうまくいったタイミングが、自分と新しい愛人との吉兆のように麻也子には思われたのだ。

通彦の後頭部から衿足にかけての美しさというのも、最近麻也子が発見した喜びである。

麻也子はつくづく思うのであるが、横顔の整った男というのは、後ろからみても綺麗である。よく、成長し損なった男の子のようにぶざまに刈り上げた後頭部や、妙に濃い刈り跡《あと》の男がいるが、ああいうのは大層みっともない。脂肪による大きなたるみなどというのは問題外である。

通彦のそれは軽いくせ毛で、かすかにウエーブのついた髪がうなじを覆っている。帰国子女によく見られるように、大きく後頭部が張り出していることはなかったが、それでもつむじのあたりがきちんとカーブを描いていた。

ひと重の切れ長の目という、極めて日本人らしい顔立ちでありながら、通彦の髪や首すじは外国人のようで麻也子はそのことがひどく嬉しい。全く好きになった男というのは、どうしてこう多くの美点を備えているのであろうか。まるで神さまが、麻也子のために注意深く細部をつくったようである。

航一の時は、そんなことはほとんど思わなかった。もちろん彼の顔や背の高さはとても気に入っていたが、ディテールのひとつひとつをこれほど眺めることはなかったはずだ。それはおそらくもうじき三十三歳になろうとしている麻也子の年齢と不倫という特殊性のためであろう。

凝縮した時間をおくるあまり、相手の小さなことがらも決して見逃すまいと目を見張っているせいだ。通彦とつき合うようになってから、麻也子はますますずる賢くなっていくようである。それは野村との比ではない。通彦が独身でマンションを持っていることが幸いしていた。最近麻也子は自分の家で使っているものと同じ化粧品をいくつか置くようにしている。これで随分気持ちが楽になった。流れ落ちたファンデーションや口紅のことが気になったら、いっそのこと洗顔をして、新しく化粧をし直せばよいのだ。

野村よりもずっと若く、夫の航一よりもいくらか若い新しい愛人は、麻也子にいくつかのことを要求する。そう珍しいことではないが、いくらか汗をかかなければならないようなことだ。だからことが終わった後の、麻也子のこめかみのあたりはぐっしょりと濡れている。首筋に汗が流れていることも多い。そのかわり、男は麻也子にこのうえなく甘やかな賞賛を与えてくれるのである。

「愛しているよ」

男は麻也子をしっかりと抱き締める。

「愛している」という言葉は、いつのまにかとても気恥ずかしいものとなっていて、夫の航一からはっきりと拒否されていたものだ。

「そんなことが言えるかよ」

野村はこう狡猾《こうかつ》にかわしたものだ。

「そういうことを考えちゃいけないと思っているから……」

しかし通彦はあっさりとその言葉を発音する。

「麻也子、愛してるよ」

その言葉を聞いたのはもちろん初めてではない。むしろ若かった時にふんだんに浴びせられたような気がする。特に大学生の時の何人かの恋人たちは、まるで憑《つ》かれたように繰り返したものではないか。

「麻也ちゃん、愛してるよ」

「愛してる……。本当にどうしようもないぐらい愛してる」

しかしあの男たちが何をしてくれたというのであろうか。何十回か食事をし、何十回か映画を観、何十回かドライブをし、そして何十回かセックスをした。そして喧嘩やどちらかの心変わりが原因で、麻也子の許から去っていった。そう、責任がないからこそ「愛している」という言葉は舌にのせることが出来るのだ。若さにとって、愛しているなどという言葉は、ほとんど意味をなさないものなのだ。

麻也子はこの自分が見つけ出した真実を男に喋りたくなる。たとえ自分が夢中になっている男にでもだ。

「麻也子って、どうしてそんなに意地の悪いことばっかり言うんだろう」

案の定、通彦は顔をしかめた。しかし薄闇の中、あおむけになった顔は決して醜くならない。射精する寸前のこらえた顔によく似ている。

「僕がまるで君とのこと、いいかげんに考えてるみたいじゃないか」

「あら、私はそれでもいいと思っているのよ」

麻也子は火照《ほて》ったままの男の肘に顔を埋める。セックスの後の満ち足りた空気の中、こんな風に嫌味を並べたてるのはうきうきするような気分だ。自分を悲劇の主人公に仕立てるのもよかったし、悪女ぶってみるのもいい。「愛している」という言葉を信用しないふりをしながら、その言質《げんち》をとって麻也子は次第に傲慢さを取り戻していく。

「だって私たち、いつかはお別れしなきゃいけないんですもの。だからね、今が楽しければいいの。だからあなたは責任を感じたり、私の言葉にむっとくることもないのよ。ねえ、そうでしょう。二人でいられる間は、むずかしいことを考えたりしないで、出来るだけ楽しくしましょうよ」

「麻也子」

突然二の腕をつかまれる。ここはおそらく、麻也子の体の中で三番めにやわらかい肉が集中しているところだ。だからこんな風に強く力を入れられるととても痛い。

「麻也子は、ダンナとこんなことをしてないって本当だな」

「本当だってば」

麻也子は唐突な男の嫉妬に、手際よく答える。そういえば先週久しぶりに夫が、麻也子のベッドに入ってきたが、そんなことを正直に言うこともないだろう。

「前から話してたでしょう。私たちって、もう男と女っていう感じじゃないのよ、まるっきりそうじゃないわ。傍にいても、なんとなく邪魔じゃないからいいっていう感じなの」

それはこのうえない真実のような気もするし、すべて嘘という気もする。いずれにしても夫婦がどちらかのことを話すと、たいてい嘘になってしまうものである。

「じゃ、僕が別れてくれっていったなら、そうしてくれるわけ」

麻也子は男の目を見つめる。が、その真意を確かめようとするためではなく、ただぼんやりと男の瞳の中にある、日本人にしては明るい虹彩を眺めていただけだ。体のどこかが、その言葉に反応してはいけないと命じていた。

「返事をしてくれよ」

いつのまにか主導権を奪っている通彦は、麻也子をなじる。

「君はずるいよ。どうして黙っちゃうんだよ」

「だって……」

麻也子は言いよどむ。今までこれほど慎重に単語を選び出したことはないような気がした。曖昧なことを口にすれば、そのとたん自分の人生がドラマティックに変わるような気がするが、それをまだ迎える準備は何も出来ていない。そうかといってはっきりと否定すれば、目の前の大切な男を怒らせてしまうに決まっている。

ありったけの知恵と媚《こ》びを込め、麻也子はかすかに笑う。もちろん楽し気な笑いではない。驚きと困惑とが入り混じった淋し気な笑いだ。

「そんなこと……、突然言われても……。私、どうしていいかわからないわ」

「それじゃ、君はどういうつもりで僕とつき合ってきたわけ。今、君が口にしたみたいに、いつかは別れるんだし、なんて言われると僕はつらいし、本当に腹が立つよ」

これには麻也子はしんから当惑する。女からそう言ってやるのは、男への思いやりであり、エチケットであると考えていたからである。いつのまにか麻也子は、不倫の際の礼儀をいろいろと身につけていたのであるが、それを拒否されて麻也子はうろたえるばかりだ。

「それって、僕たちのことはまるっきり遊びだって、はっきり言われてるようなもんじゃないか」

「そんなことないわ……」

こんな時涙が出てくれればいいなと思ったとたん、麻也子の瞼《まぶた》は熱くなる。それをさらに強調するために麻也子は目頭を中指で押さえた。

「私、こんなことしたの、あなたが初めてだし、あなたはどう思ってるかしらないけど、こんな風に会っているのって、ものすごく罪の意識を感じてるのよ。毎日つらかったわ……。夜も眠れなくなったぐらいなのよ。それをどうしてわかってくれないのかしら……」

麻也子がそうあって欲しいと考えていたとおりのタイミングで、通彦は麻也子を抱き締める。男の裸の腕や肩は暖かく、その刺激で涙はいくらでも出てきた。

「泣くなよ、泣くなってば」

通彦の指はゆっくりと動き、父親がそうするように、ゆっくりと髪をなでてくれる。

女が大層好む男の愛撫である。男と女として激しく交わった後で、幼い少女のように扱われることほど心が満たされることはない。

「僕が悪かったんだってばさ……。そうだよな、僕なんかよりずっとつらいのは麻也子だよなあ。僕はひとりだけど君にはダンナさんがいる。だから君の方がずっと苦しんでるんだ。わかってたけど、ひどいことを言ってごめんよ……」

涙は後から後からしたたり落ちる。そうだ、自分ほどつらく悩んでいる女はいないのだと麻也子は恍惚の中で思う。自分の犯したさまざまな罪が、まるでフラッシュバックのように頭の中に浮かぶ。あっさりと野村と寝てしまった夜、ラブホテルで野村が手にしていた怪し気な器具。それで何度も達してしまった自分……。ああ、自分はなんと不幸なのだろうか、自分はなんと悪い女なのだろうかと、麻也子は気が遠くなるほどの幸福の中でつぶやいていた。男の性器を体の中に迎える快感よりも、もっと激しく無我の快感がこの世にはある。それは滂沱《ぼうだ》と涙を流しながら、男に、自分に酔うことなのだ。

「いつか言おうと思ってたんだけど、僕はこの秋からボローニャの大学へ行こうと思ってるんだ。僕は麻也子と一緒に行きたい。君と暮らしたいんだ。ね、行ってくれるね」

「わからない……。そんなこと、わかんないってば」

初めて正直な言葉を口にしたとたん、歓びのあまり麻也子はほとんど気を失っていた。

この二日間というもの、麻也子はほとんど仕事が手につかない。簡単なミスをいくつか犯し、あの温厚な会長でさえ、

「どうしたんだい、しっかりしてくれよ」

と声を荒らげる始末だ。

いつものように爪を磨くこともせず、麻也子は自分の椅子に背を伸ばして座り、肩をいからせている。

――さあ、私の人生の正念場だ――

望んだとおりのもの、刺激的でめくるめくような日々というのが、いまやってこようとしているのである。実のところ、これほどまでに簡単に手に入るとは思ってもみなかったので、麻也子はとまどっているのだ。それにしても、めくるめくような劇的な人生というのは、何とたくさんのめんどうなことを課しているのであろうか。

麻也子はこれから起こることを、シミュレーションゲームのように目の前に展開させる。通彦のことはもちろん好きだ。この頃は愛しているといってもいいぐらいである。彼と共にイタリアで暮らすというのは、本当に素敵ななりゆきである。が、あまりにも素敵過ぎて麻也子は不安になる。なんだか現実としてとらえられないのだ。

それにひきかえ、離婚に伴って起こるさまざまなわずらわしいことは、はっきりと思い浮かべることが出来る。あちらの両親だけでなく、自分の親もさぞかし嘆き悲しむこ

とだろう。それより何より、夫の航一にどうやって話を切り出したらいいのか。

離婚というものは、普通前兆があり、双方に心構えがあるはずだ。しかし麻也子の場合、突然話を持っていかなくてはならなくなる。航一に不満は多いが、憎んではいない。憎んでもいない相手を不幸にすることは麻也子の趣味ではなかった。おそらく相手から今度は麻也子が激しく憎まれるはずだ。

麻也子は今まで、人から強く嫌われたり恨まれたりしたことがないので、そんなものを背負う人生などまっぴらだと思う。

結局この期に及んで、麻也子は恐がっているのである。その時電話が鳴った。

「もし、もし、水越さんですか」

野村の声に麻也子はうろたえる。彼のことを忘れたわけではないが、ひどくばつの悪いものを見せられたような思いなのだ。

「麻也ちゃん、久しぶりだね」

「本当ね」

「いやあ、ずうっと仕事で香港へ行ってたんだよ」

「えっ、どうして香港なの」

「返還のイベントがらみのことでさ、いろいろあってさ。ま、会った時に詳しく話すよ。それより麻也ちゃん、今日か明日、空いてない」

「ちょっと待ってね」

麻也子は思案する。本来ならばこの男を拒絶すべきなのだ。そんなことはわかっているが、ひとつの賭けをしてみたい。この男と会い寝てみようか。もしそれで楽しかったら、自分は元の生活に戻ればよいのだ。何も冒険の海に繰り出すことはないのだ。これからもしかすると起こるかもしれない、体力をふりしぼるような出来事。自分はまだ迷っている。

野村とのセックスが、麻也子をなだめ、ひき止めてくれたら、それはそれでよいのだ。

第七章　決断

情事と恋との境いめは、いったいどこにあるのだろうかと麻也子は考えている。

久しぶりに野村に抱かれていた。もう十回近い逢瀬《おうせ》であるから、二人の手順はすっかり出来上がっている。服を脱ぎ、脱がせるタイミングは、〝息が合っている〟といってもいいぐらいだ。

あおむけとなった麻也子は、もはや男の手助けを待ってはいない。突然着ているものに火をつけられた人のようだ。耐えきれず、最後の下着を自分の手でぐいと下におろす。すると男の脚は麻也子の膝の間に割って入り、さらに乱暴に下品に、自分のかかとを使ってそれを麻也子の足首まで持っていった。

男が体勢を整えるのを見届けて麻也子は言った。

「まだ駄目よ、いきなりはイヤ」

「そんなこと言ったってさあ……」

野村は前かがみになっていた上体をややそらすようにし、ペニスを左手でつかむ。ベッドサイドライトのかすかなあかりの中でも、それが大きくそそり立っているのはわかる。人間の体の一部がこれほど膨張し、形を変えるのは、むしろ滑稽に見えると麻也子は思った。しかしこの滑稽さは、紙ひと重のところですぐに赤く暗い感情に変わる。この滑稽で大きなものを、自分の体はらくらくと迎え入れてしまうではないか。すっぽりと奥まで埋めてしまうではないか。それどころか、そのとたん麻也子の体は、自分でコントロール出来なくなってくる。何か大きな力で動かされているように、ざわめいたりひくついたりする。

男の性器を滑稽だと思おうとするのは、一種の畏《おそ》れのためかもしれない。それに今夜の麻也子はいつにも増して意地の悪いところがある。いきなり挿入するのではなく、指と舌による愛撫を要求した。

「すぐ、は、好きじゃないわ」

「そうはいってもさあ……」

野村は自分の性器を伸ばすように軽くしごいてみせる。先端のぬめりの光沢が一層強くなった。

「おじさんはさ、麻也ちゃんに一生懸命してるうちに、小さくなっちゃうからさ……」

おどけたように彼は言ったが、それは本当であった。セックスする回数が増えれば増えるほど、前戯の時間が短くなり、麻也子はそれを〝手抜き〟と考えていたのであるが、どうも違うらしい。以前の野村のやり方だと、まず指と舌で麻也子にいったん絶頂を味わわせ、それがおさまるのを待ち今度は自分の体を沈めてきたのであるが、これは四十二歳という彼の年齢からするとかなり体力と忍耐を必要とするものであったらしい。最初の絶頂まであまりにも長く時間がかかると、彼のそれは完全に萎《な》えてしまう。回復させるためには麻也子の唇や舌が活躍しなければならないのであるが、この点に関して麻也子は気まぐれで、我慢ということが苦手である。時々途中で放棄してしまう。おそらくいくつもの闇の中で、野村はかなりのテクニックと心を駆使してきたことであろう。

しかし最近の彼は、馴れてきた気楽さか、あるいはもはや見栄も外聞もない切羽詰まったもののためか、慌しい上半身の愛撫の後で、すぐに挿入に移ろうとする。今夜の麻也子は、はっきりとそれを制したわけである。

「もっと……してくれなきゃイヤよ」

「だけど麻也ちゃんは、こんなに濡れてるよ。もういいんじゃないかな」

野村は教師のような穏やかさで麻也子を諭した。

「嘘つき。そんなでもないわ……」

「このくらいがちょうどいいんだよ」

いきなり野村は入ってこようとした。麻也子は思いきり力を込めて、自分の襞《ひだ》の門を閉める。野村は一瞬とまどったように、かすかにひいたが、さらに力を込めてつき進む。やるまいとするやわらかい肉と、行こうとする固い肉は、争い、じゃれ合い、からみ合った。だが襞と肉塊とではすぐに勝負がつく。麻也子の抵抗を楽しむように、野村はゆっくりと入ってきた。

「いやぁ……」

怒ったつもりであったが、それはすぐに深いため息に変わる。収まるべきものが収まった時の、あの心地よさをいつのまにか麻也子は感じているのだ。麻也子は眉をひそめ、意識を集中させる。相手の腰が激しく動き始め、麻也子を遠いところへ連れていく前に確かめたいことがあった。

この自分の体の中に入っている野村のものと、通彦のものとはどう違うのだろうか。野村が与えてくれる快楽と、通彦の快楽とはいったいどう違うのであろうか。

もし今夜の野村から得るものが、通彦と全く同じものであったら、麻也子は、いや女は、絶望するしかないのだ。本当に愛している男と寝た女は魔法をかけられる。他の男と肌を合わせることはもはや出来なくなるのだ。そんなことをしたら、体中に悪寒が走り、そこかしこ鳥肌が立ってしまうだろう。ところが麻也子ときたらどうだ。夫だけでなく、こうして最初の不倫の相手ともベッドに横たわっているではないか。

麻也子にはわかっている。自分がいま願っているのは、諦めとも達観ともいえるだらしない温もりなのである。野村に抱かれ快感を得る、ああと叫ぶ、そしてその後で自分は哀しみにうちひしがれることであろう。結局、情事と恋との境いめなど何もないのだとせつなく泣くはずだ。が、その哀しみやせつなさは、自分を大きな賭けから遠ざけるはずである。冒険の旅への出発をやめさせるに違いない。

そう、結局自分はとても怖がっているのだと麻也子が思ったとたん、いきなり野村が衝いてきた。麻也子の好きなリズムで、麻也子の好きな深さである。野村が誘《いざな》い、麻也子はやがて、いつもどおり森の中へ入っていく。

麻也子は絶望するはずだった。しかし次の日には通彦のところへ電話をかけている。不思議なことが起こっていた。一晩寝たら野村との夜の記憶がさっぱりと消えていたのだ。今までなら、いくつかの記憶が翌日の麻也子を息苦しくさせたり、頰を赤くさせたりするのであるが、そんなことはなかった。麻也子は例によって、これを自分に都合よく解釈する。

「通彦とのことをやめようと思って、野村さんと寝た。男なんてみんな同じだって思いたかったんだもの。だけど違う。その時は二人同じように感じたけど、一日たってみると違うってわかる。私の脳の何かが作用して、野村さんとのことを排除しているんだもの」

驚いたことに麻也子は少しうきうきした気分になる。これで自分がまっとうな女だということが証明されたようなものだ。情事の相手と恋人とはやっぱり違っていた。そう感じることが出来た嬉しさで麻也子は少し饒舌《じょうぜつ》になっている。

「私ね、この夏からプールへ通おうと思ってるの。私の友だちも言ってたけど、あれがやっぱりいちばんきくんですって」

「今度臨海副都心に出来たホテル、プールがなかなかいいよ。そこに泊まりがけで行こうよ」

あの日以来、すっかり乱暴な口調になっている通彦は言う。

「もうじき君の誕生日だろう、日曜日だしちょうどいい、そこでお祝いをしようよ」

「そんなこと無理よ」

家の中には誰もいないというのに麻也子は声を潜めた。

「泊まりがけなんてこと、出来るわけがないわ。それに……」

言葉が詰まった。夫婦どちらかの誕生日は、必ず一緒に夕食をとるというのが、結婚して以来のならわしである。麻也子にはこの習慣を破る勇気がない。石をひとつはずしたことから石垣が崩れていくように、何か大きなものが壊れていくかのようである。

「誕生日は君のダンナさんと過ごさなきゃならないんだ」

麻也子の濁らせた言葉を、すぐに通彦は察したようだ。皮肉そうな口調で続ける。

「そうだよね、夫婦ってそういうもんだろうね」

「違うの、そんなことじゃないの」

麻也子のとっさについた嘘は、姑を登場させることであった。

「どういうわけかわからないけど、その日は彼女が必ずやってくるのね。つまらないプレゼントを持ってだけど。だからうちにいるようにしなきゃいけないの」

通彦は半信半疑らしくふうんとつぶやき、おかげで麻也子は彼との約束もしなくてはならなくなった。夜の七時までに家に帰ることにし、それまで通彦のマンションで過ごすことにしたのである。

その日曜日の午後、麻也子は自分のために水色の麻のスーツを着、男のためにバラ色の下着を身につけて家を出た。いつものことであるが、夫の航一はパジャマのままで声をかける。

「プレゼント、君の気に入ったものがいいだろう。悪いけど君が選んで、カードで払っといてくれよ」

結婚二年目から、航一は妻に贈る品を選ぶことを放棄しているのである。が、今日は夫のそんな怠惰さが麻也子にとっては都合がよい。

デパートの中のブティックで、輸入もののエナメルのバッグを買った後、麻也子は地下の食品売場へと向かう。サラダに使う野菜を包んでもらい、食肉売場ではステーキ肉を二枚切ってもらった。こうした時は肉を買うのがいちばんよい。時間もかからず豪華な一品となる。何よりも夫の航一は肉が大好きであった。肉を売る店員にしては、痩せて貧相な女が麻也子に問いかけてくる。

「どのくらいの時間お持ちになりますか」

まるで自分のこれからの行動を聞かれているようで、麻也子はうろたえる。ここから通彦のマンションまでは四、五十分ほどだろうか。彼の部屋を出るのは午後の六時過ぎで間に合う。

「あと五時間」

麻也子は答えた。

「あと五時間は持ち歩くかもしれない……」

「それじゃ、冷やすものを多めに入れておきましょうね」

女はそういって固形物を肉の上にのせた。

麻也子はデパートの紙袋を持ってタクシーに乗る。この建物に入った時はそうでもなかったのに、真昼を過ぎてから太陽はいっきに強く大きくなったかのようである。

「暑くなりそうですね」

運転手が挨拶がわりにまず愚痴めいた声を出した。

「もしかすると、今年の最高記録になるかもしれないそうですよ」

肉など買わなければよかったと麻也子は思った。これならば半日持ち歩いているうちに、かなり傷《いた》んでしまいそうだ。けれどもあれこれ思い出してみても、通彦のマンションの近くには、これといった店は何もない。カップラーメンとスナックの菓子を並べただけのコンビニエンス・ストアが一軒あるだけなのだ。

こんな日にデパートの紙袋を片手に歩くなどという、所帯じみた格好をしなくてはならないのも、すべて恋人の我儘のせいなのである。

肉は思っていたよりもかさばり、麻也子は車中も気になって仕方ない。だから通彦のマンションに入るなり、台所へ向かった。

「ちょっと冷蔵庫を貸してね」

「何を入れたの」

Tシャツとジーンズという通彦は、いつもよりもはるかに清々《すがすが》しく、彼自身が洗いたてのようであった。こんな男に向かい、晩ごはんのおかずと言うことも出来ず、麻也子はとっさに嘘をつく。

「手づくりの化粧品よ。本当はアイスボックスに入れて運ばなきゃならないくらいデリケートなものなの」

何かの雑誌で見た広告を思い出したのだ。が通彦はそれ以上詮索することもなく、麻也子の腰を抱いてリビングルームへ向かう。テーブルの上には小さな包みが置かれていた。

「これは僕からのプレゼントだよ」

「まあ、何かしら」

が、麻也子にはとうに包み紙でわかっていた。北欧の有名な銀細工のメーカーである。開けてみると案の定、シルバーのリングだ。しかもそれは麻也子のひとさし指にぴったりであった。

「ねえ、どうして私のサイズがわかったの？」

「ふふふ」

通彦は悪戯っぽく笑う。

「このあいだ麻也子が眠っている間に、絹糸を巻きつけたんだ。そのまま持っていったら、店員がたぶん大丈夫だって」

「まあ」

麻也子は目を見張る。誕生日のプレゼントをいつも自分に立て替えさせる夫とは、なんという違いだろうか。当然のことながら感謝の接吻はひどく長いものとなり、それはそのまま前戯へとつながっていく。

「こんなに明るいんだもの、恥ずかしいわ」

「だって麻也子は、暗くなる前に帰るんじゃないか」

せわしげに麻也子の上着を脱がせながら、通彦は怒ったように言う。

「僕はこんなこと、長く続けていたくないんだ。わかっているよね」

「わかってるってば。ちゃんと考えているわ、ねえ、だからもうちょっと時間をちょうだい」

渋々と承諾した証拠に、通彦はわざと大きな音をたてて麻也子のジッパーをおろした。


日曜日の夕暮れ、くだり道路は異常ともいえる混みようで、麻也子が家に着いた時は七時を二十分まわっていた。航一はソファに寝そべり、衛星放送で流しているボクシングの試合を見ていた。

「ごめんなさい、すぐ仕度するわ」

「あ、いいよ。別に、急がなくてもさ」

週末の午後、航一はいつも機嫌がよい。ポロシャツからめっきりと肉がついた腕を伸ばして、テーブルの上を指さす。

「あのさ、赤ワイン、室温に戻しといたよ。それとも白の方がよかったかな」

「ううん、赤でいいの。今日はステーキにしたから」

キッチンに行きかけて、麻也子は立ちすくむ。大切なことを忘れていた。厚めに切った肉を二枚、通彦の冷蔵庫の中に置いてきたのだ。グラムで計ってもらったから、航一の方がずっと大きく、麻也子のはその三分の二ほどの大きさだ。それはちょうど夫婦《めおと》茶碗の比率であろうか。それを恋人の家に忘れてきてしまったのだ。

夫にどうやって言いわけすればいいのか。それよりも通彦にあれを見られたらどうしたらいいのか。自分が失敗したものは、ただの置き忘れではないことに、麻也子は気づいている。

麻也子はガスレンジの前に立つ。何か始めようと思うものの体が動かないのだ。

さっきまでいた通彦のマンションに、今晩食べるはずだった二枚の肉を忘れてきてしまった。ということは、とっさにありあわせのものでつくらなくてはならないということである。

冷凍庫の中に何があっただろうか。炒めた挽肉《ひきにく》に、アジの干物が入っていたはずだ……。いや、それ以上のことはどうしても思い出せない。とにかく麻也子は失策を犯してしまったのである。

「どうしたの」

立ちすくむ麻也子の姿は異様だったようだ。いつのまにか航一が後ろに立っていた。

「そんなにおっかない顔して、いったいどうしたんだよ」

「肉を忘れちゃったのよ！」

麻也子は答える。

「ステーキ肉を入れた包みを、タクシーの中に置いてきちゃったの」

「なんだ、そんなことか」

航一は笑った。

「だったら鮨でもとりゃいいじゃないか。ピザだっていいし、外に食べにいってもいい。そんな思いつめたような顔で立ってられるよりずっといいよ」

「だって、すごぉく高い肉だったのよ」

夫の明るい口調に、やっといつもの麻也子に戻った。

「誕生日だから、デパートの地下で、松阪牛のサーロインを買ったの。あんまり高いから、あなたの方を大きく切ってもらって、私のは小さくしてもらったのよ……」

言葉が勝手に軽薄に動き始める。

「それを焼いたら、大ご馳走になるはずだったのに、車の中に忘れてしまうなんて、私って何て大馬鹿者なのかしら」

「そんなこと、今に始まったわけじゃないよ」

航一は麻也子の肩を軽く叩く。その暖かさに、麻也子はやっぱりもう少しこの男と生きていこうかなと考える。

「焼肉でも食べに行くか。といっても、誕生日に焼肉じゃ可哀相だな。君の誕生日だから、鮨をおごってやってもいいぜ」

「嬉しいわ、じゃ鮨清のカウンターにしてね」

「こいつ、調子にのって」

リビングに戻りかけた時に、麻也子の胸ポケットにかすかな震動が起こった。最近のテレメッセージは、音が鳴る替わりに震動で通信を知らせる。たぶん通彦からだろう。もう一度キッチンへ戻り、冷蔵庫の陰でこっそりと見た。

「スグニ　デンワ　クレ」

という文字が映っていた。麻也子はリビングにいる夫に声をかける。

「ねえ、夕ごはん、やっぱりうちで食べましょうよ。私、ちょっと買物に行ってくるわ」

「あ、そう。どっちでもいいけど」

航一はソファに座り、テレビに見入っている。麻也子は外出した時のハンドバッグを持ち外に出た。駅の方まで歩けば、酒屋がやっているミニスーパーがある。コンビニと違い、肉や野菜も置いてあるが、あの豪華なステーキ肉とは比べものにならない。しかしそんなことを言っている場合ではなかった。とりあえず通彦に電話をするために、麻也子は外に出たのだ。

個室の公衆電話はなく、麻也子は仕方なく薬局の店先に置いてある緑色の受話器を手にとる。

ルルル……麻也子は呼び出し音を聞いた。

焦っていてもいつもの習慣で、さっきまでいた通彦の部屋の間取りや電話の位置を頭の中で再現している。電話の音が伝わっていく空間を思い出している。

「もし、もし」

五回も鳴ってからやっと通彦が出た。彼はこの電話が麻也子からのものだということを既に知っているはずだ。それなのにこの暗く湿った第一声はただごとではない。自分の嫌な予感があたっていることを麻也子は確信する。

「もしもし、私だけれど、テレメッセージに入っていたわ。電話をくれって」

「肉を忘れていったよ」

不快さをなんとか押し殺そうとするために、彼の声は不自然なほど低くなっている。

「化粧品だなんて嘘じゃないか。とってもいいステーキ肉だね。君のと、ダンナさんのものと二枚、うちの冷蔵庫に入っていたよ」

「ああ、あれね。そうなのよ」

麻也子はことさらに明るい声を出す。たかが肉の話ではないかと、心の中で何度も自分に言い聞かせた。

「私、うっかり、晩ごはんのおかずを忘れてしまったんだわ」

「とってもおいしそうないい肉だったよ。ちょっと大きいのはダンナのために買って、君のは小さいんだね」

ここで通彦は低く笑った。こういう時の男の笑い声が麻也子は大嫌いである。得体の知れぬ深いところへ突然引っ張り込まれるような気がするのだ。怒ったり罵声をとばされる方がずっとわかりやすい。

「我ながら情けなかったよ。大のおとなが、ステーキ肉を前にして嫉妬に狂ってしまったんだ。口じゃなんだかんだ言いながら、君はダンナと暖かい家庭をつくってるんだって思った。そして僕ひとりがこんなに苦しんでいるんだと考えたら、やりきれなくなったんだよ。全く情けないよな」

「ねえ、苦しんでいるのはあなただけじゃないのよ」

麻也子はその時、人の気配を感じて振り返る。一人の初老の女が足早に薬局の中に入っていくところであった。

「こんな季節なのに、夏風邪をひいちゃってさ。もうたまんないのよ」

店の者と顔見知りらしい。南の方の訛《なま》りのある陽気な声が聞こえてくる。麻也子は声を潜めた。

「ねえ、だから肉のことぐらいで、カリカリしないでちょうだい」

「僕は肉のことだけで怒っているんじゃない。だいたい君はずるいよ。僕は君にちゃんと気持ちを打ち明けてきたつもりだったけど、君は、いつだってのらりくらりと逃げてばかりじゃないか」

「そんなに、私を困らせないで。ね、お願いよ……」

店の奥で女の笑い声がする。

「へえー、これがトイレで使うスプレー。全くこの頃の若い人は、面白いものを持ち歩くよねえ」

通彦にはその声は聞こえないようであるが、通りの雑踏の音は伝わっているらしい。

「君は今、公衆電話からかけているんだろ」

「そうよ……」

「ダンナにはうまいことを言っておいて、こそこそと外に出ていく。そして僕のところに電話をかける。君はとっても卑劣なことをするんだね」

「だったら、どうしたらいいの」

男を責めてはいけないと思うものの、麻也子の逃げ道はそこしかなかった。だから思いきり哀れっぽく、甘く、麻也子は訴えかける。

「ねえ、だったらどうしたらいいの」

しかし麻也子のこの問いは、厳しい言葉で拒絶された。

「そんなこと、自分で決めてくれよ」

よほど勢いをつけて受話器を置いたのだろう、金属のぶつかる音がして電話は切れた。

薬局の前に麻也子は取り残される。また女の声がした。

「じゃ、このアンプルを飲んでみるわ。そうなのよ、息子夫婦が誘ってくれるなんて、もう二度とないかもしれないからね。せいぜい体をよくしとかなきゃ」

麻也子は自分の家に戻ろうと歩きかける。が、買物をしなければいけないと思い直す。ミニスーパーはさらに駅に向かって歩くために反対の方向になる。そしてそちらに向かい数歩歩き出したことが、麻也子にきっかけを与えた。

「もしかすると自分は、大きな大切なものを失ってしまうかもしれない」

さっき電話で聞いた男の言葉が、熱い命を持って次々と甦ってくる。

「僕ひとりだけが苦しんでいるんだ」

「勝手にしろよ」

男の暴言は、麻也子を爪先まで痺《しび》れさせる。今まで、これほど強く嫉妬してくれた男がいるだろうか、これほど激しく自分を求めてくる男がいただろうか。

夜風はねっとりと麻也子の首筋にからまっていく。人々から正気を抜いていくような夏の宵だった。

「今しかない」

麻也子は思う。今こそ自分は、人生で一度やりたくてたまらなかったことをするのだ。それは、

「衝動にかられて」

という行為である。少女の頃は、裸足で走り出すような恋に憧れていたこともある。何か大きなものに押し流されるようにして、男と女は抱き合うものだと思っていた。ところが大人になるとそれは全く違っていることがわかる。衝動にかられたふりをして男は女を押し倒す二時間前に、リステリンでうがいをしている。女とて朝、既に下着を選んでいるではないか。

しかし、今、麻也子は多くのドラマの主人公のように、衝動というものに忠実になろうとしている。選ばれた人間の一人として、大きな力に導かれようとしている。

が、この期に及んでも、麻也子は安全弁をつくっておくことを忘れない。再び電話の前に立った。通彦のところではなく、自分の家の番号を押す。

「もし、もし、私よ」

麻也子は思いきり早口で言った。

「私、大変なことを思い出したのよ、今夜友だち三人と会うのをすっかり忘れてたのよ。渋谷だから、ちょっと顔出してすぐに戻ってくるわ。それまでピザでも食べてて、お願いよ」

夫が何も言わないうちに受話器を置いた。どうみてもへたな言いわけだと思うが仕方ない。「衝動にかられた人間」に完璧なことが出来るはずはなかった。それに完璧なことをすれば、「衝動にかられる」心に不純なものが混じるような気がするのだ。

麻也子は次第に早足になっている。

そこにタクシーが近づいてきた。このあたりではあまり見かけない黄色の車である。

その時に麻也子の心は決まった。

「三宿まで」

麻也子は運転手のえり足に向かって叫ぶ。

「出来るだけ急いでね」

ドアを開けながら、通彦は信じられないものを見るように麻也子を見た。

「いったいどうしたんだ……」

「あなたが怒ってたから、急いでここに来たんじゃないの」

麻也子はそのまま通彦の胸に顔を埋める。予想していたとおり、男の腕は感動に満ちてしっかりと麻也子を受け止める。

「大丈夫なの」

「大丈夫なの。本当にいいの。私、どうしてもここに来なきゃいけないと思ったの」

夫に電話をしたことなど、麻也子は自分自身で忘れていた。

長いくちづけの後、麻也子は尋ねた。

「ねえ、ところで、あのお肉、どうなったの」

「ゴミ箱に捨てた」

「まあ、もったいない。あれ、すっごく高かったのよ。あなたが焼いて食べてもよかったのに」

助かったことがわかった麻也子は、そんな余裕をとり戻している。

「冗談じゃない。ナイフでめちゃくちゃに切り刻んでやろうと思ったけど、男のヒステリーみたいだからやめたんだ」

通彦の声がすっかり穏やかになっているのも、腕の中に麻也子がいるからだろう。どれ、どれと麻也子は、キッチンへ向かい、よせやいと通彦がそれを阻止し、二人じゃれ合うような格好となった。

男のひとり暮らしにしては、いつも整頓されているキッチンであるが、流しの中には、さっき麻也子が帰りぎわに飲んだ珈琲茶碗がまだそのままに置かれている。縁についた濃いピンクの口紅は、今麻也子がつけているものと同じだ。その傍にプラスチックのゴミ箱が置かれ、見憶えのあるデパートの包み紙を見つけた。おそらく力まかせにつっ込んだものだろう。ペダル式の蓋からへし曲がった包みが顔をのぞかせている。

麻也子はせつなさのあまり、呼吸が荒くなる。通彦について、もうひとつつけ加えることがあったのだ。それは、

——自分のために、これほど怒る男がいるだろうか——

という喜びである。麻也子は言葉が出てこない。今、何かを言ったらすべて嘘になるような気がした。この世には崇高という状況がある。心が満たされるところまで満たされ、全く揺れなくなる、しんとして何ひとつ音がしなくなる時だ。

ゴミ箱と、かすかに漂い始めた腐臭の前で、麻也子は聖なる静けさに包まれている。〝魂〟という言葉が頭に浮かんだ。夫を含めて、麻也子は何人かの男と知り合い、その体や心を愛した。しかし〝魂〟のことまで思いが及ばなかった。心と魂は似ているようでまるで違う。心は時々露出することがあるが、魂はあまりにも奥深い場所にある。その存在を知る人さえまれなのだ。

「私、もう心を決めたわ……」

麻也子は掌を男の掌に重ねる。

「だから、私に勇気をちょうだい……」

その時、崇高ということは、とてもテレビドラマに似ていると、ふと麻也子は思った。やがて麻也子と通彦はさまざまな相談を始めた。

愛をささやき合うという抽象的行為から、こうして具体的な作業に移っていくという

のは、まだ実感がわかぬ、永遠に行くことのないピクニックの計画を練っているような気分だ。その代わり、親密感はとても深くなり、途中で通彦は珈琲を淹《い》れてくれたが、それをごく当然のことのように麻也子は受け取る。ずうっと昔の合宿でのことを思い出した。「共通の目的」などというものを持つのは、クラブ活動の中学生か高校生だけかと思っていたがそんなことはなかった。通彦は言う。麻也子が夫に離婚を申し出たとしても、すんなりといくはずはない。航一の方は何の落度も、別れる意志もないのだから、麻也子ひとりが悪者になるだろうと、通彦の口調はなめらかである。もはや数十回離婚を繰り返した人のようだった。

「思い切って、最初から弁護士を頼むのはどうだろう。お袋に頼めば、きっといい人を紹介してくれるはずだよ」

通彦の母というのは、家政婦の派遣会社を経営している。かなり大手で、その業界での先駆者的存在だという。普通の家政婦だけでなく、きちんと教育をしたナースを、金持ちの子ども用に送り込んだことが成功したのだ。通彦が全く金にならない音楽評論などをやっていられるのも、このやり手の母親のおかげだということを、最近麻也子は知った。

「僕はね、君ときちんと結婚出来るんなら、多少金を遣っても仕方ないと思ってるんだ。慰謝料を請求されるかもしれないが、それで結着がつくなら安いもんさ」

「ちょっと待ってよ」

麻也子は叫んだ。金や慰謝料、請求という単語が飛び出してくるたびに、心臓がぴりぴりと震えるのだ。もしかすると自分たちは、夫の殺人計画でも練っているのだろうか。そら怖しいことを喋《しゃべ》っているように、次第に声が低くなってきたのである。

「私はあなたとのことを、彼に話すつもりはないの」

「えっ、それってどういうことなんだ」

「あくまでも、性格が合わなくて別れることにしたいのよ。私にもうじき結婚する相手がいるなんてわかると、話がややこしくなるもの」

「そんなの、卑怯じゃないか」

通彦は、その夫から奪い取ろうとまでしている女の目を強く睨み、嘲笑した。

「絶対によくないよ。騙《だま》してるっていうことになるじゃないか。僕は言っただろう、金を遣うのは仕方ない、弁護士を頼もうって」

「お金の問題じゃないのよ。私が言いたいのはね……」

麻也子の舌の上で、さまざまな言葉が混乱してもつれ合う。今の感情を素直に言えば通彦を怒らせることになるからだ。

「慰謝料を払わなきゃならなくなるとか、そういうことじゃないの、あの人を悲しませたくないのよ。可哀相じゃないの、妻に恋人がいて、そのために別れてくれなんて……」

「馬鹿馬鹿しい」

今夜の通彦の嘲笑には、あきらかに勝者の響きがあった。

「いずれはわかることじゃないか。女は離婚しても、六カ月たたなきゃ再婚出来ないとかいうややこしい法律があるらしいけど、僕はそんなことは構わない。君とすぐ一緒になってイタリアへ行くつもりだよ。そうすれば、嫌でも何でも君のダンナさんはすべてを知ることになるじゃないか」

「でも、二カ月でも三カ月でも、知らなかったらその方がいいんじゃないかしら。その方が、あの人、傷つかないと思うのよ」

実のところ、麻也子にはもうひとつの思惑がある。航一が可哀相というのは、もちろん嘘ではないが、自分も哀れにしたくないというのが麻也子の正直なところだ。

まわりを見わたせば、離婚した友人というのは何人かいるが、女の方の愛人が原因というのは非常に少ない。

新しい男が出来たから、さっさと夫と別れるなんてカッコいい、などと喜ぶ輩《やから》もいるかもしれないが、そういう女たちは、育ちが悪いか、世の中に対して全く無知であるかのどちらかだ。麻也子の呼吸している世界では、そうしたことは大変なスキャンダルになる。何よりも麻也子の両親が、このことを知ったらどれほど嘆き悲しむだろうか。

麻也子は世間に対して、こんなふうに言い繕《つくろ》うつもりだ。どうしても夫とうまくいかず、別れることになった。その直後、いろいろと慰めたり励ましてくれた男性がいた。頼りになる友人だと思っていたのだが、突然プロポーズするではないか。自分でもことのなりゆきにびっくりしたし、すぐに再婚というのもどうかと思うのだが、とりあえず一緒に暮らすことにした。というのも、彼がボローニャ大学に研究員として行くことになったので、離れることは出来ないからである。

とまあ、こんなつくり話を、すべての人が信用するとは思えない。確率は半々といったところであろうか。しかしいつ、どんな時でも建前というのはとても必要であった。建前さえあれば、人々も自分も納得出来るというものだ。

美しい不倫をしたいとかつて願ったように、麻也子は美しい離婚もしたい。人々の口の端にのぼった時に、蔑《さげす》まれたり、嗤《わら》われたりしない男と女の物語をつくりたいのである。しかしそんなことをどうして今、憤《いきどお》っている目の前の男に言えるだろうか。

「結局のところ」

通彦は突然苦いものを口に含んだように、唇をゆがませた。

「ダンナに未練があるんじゃないのか。そうでなかったら、可哀相とか、苦しめたくないなんていう言葉、出てきやしないさ」

「そんなことないって言ってるでしょ。私はね、ゴタゴタしたくないの。そうでなくても、何の悪いこともしていない夫に、突然別れてくれって切り出すのよ。あなたは独身だからわからないでしょうけど、それってすごく怖いことなのよ。笑いながら朝食のコーヒーを一緒に飲んだ相手に、夜そういうことを話さなきゃいけないなんて、私、震えてしまうわ、きっと。あなたのように、お気楽にものごとを考えられないのよ」

「それは君が狡《ずる》いからだ」

「何ですって」

「僕とのことをうまく隠しとおそうとやたら気を遣っているからさ。今日だってそうさ。君の誕生日に、君はステーキ肉を二枚買った。とってもいいサーロインステーキだ。大きい方はダンナ、小さい方は君の肉だ……」

「もういいわ、その話、何度もしないで頂戴」

どんな困難があっても結ばれようとしている男と女は、激しくいがみ合い始めた。しかし、その愚かしさに気がつくのは、たいてい女の方が先だ。

「ねえ、もうやめましょうよ、私、もうくたくただわ。頭がへんになりそう。ねえ、お願いだから、私のことをもういじめないでよ」

「いじめてやしないさ」

通彦はまるで楽器を操るように声のトーンを変えた。

「ただ麻也子が意気地なしだから、いけないいんだ」

両の掌で、麻也子の頬をはさむ。そっと口づけしたが、今までのキスとは違う。早くも家族のそれになっていた。

「君が僕とのことを打ち明けないなら、それでいい。だけど約束してくれ。今夜帰ったらすぐに、ダンナに切り出してくれるんだろうな。愚図愚図しないだろうな」

「そんなの、無理よ……」

麻也子は泣き出したくなる。夫が哀れで、これから行動しなければならないことが億劫《おっくう》で、そして通彦が怖かったからである。

「あなたは自由業だからわからないでしょうけど、重要なことは日曜日に言っちゃいけないのよ。相手はサラリーマンだもの、月曜日の朝に差しつかえるの。週末まで待たなきゃ。だから来週に話すわ」

「冗談じゃないよ。君はいつもそういうことを言って引き延ばすんだ」

もはやすっかり暴君と化した通彦は声を荒らげた。

「いいかい、約束だよ。今日のうちにダンナに話す。君が話さなかったら、そうしたら僕が彼に話す」

彼のこの我儘ぶりは、自分への愛情と嫉妬に目がくらんでいるからに違いないと麻也子は思うことにした。

再びタクシーに乗る。国道を横切ると、いつも通る公園と、ビルが見えてくる。麻也子は何度目かの吸い込むようなため息をついた。家に帰るということは、現実に引き戻されていくということだ。見慣れた風景を見たとたん、麻也子は自分が覚醒したような気がした。

自分はいったい何をしてきたのだろうか。芝居の稽古でもしていたのだろうか。激しい言葉でやり合い、そして抱き合った。あれは芝居の世界だから出来たことなのだ。普通の人間は、客席でそういう世界を見物した後、ぬくぬくとした平穏なわが家に帰っていく。麻也子とてそうだったではないか。野村から始まった他の男との情事は、ひと幕の芝居であった。休憩時間なしで、人のテンションを昂《たか》めるだけ昂めていく。

そして芝居が終わった後、麻也子はホテルの洗面所で口紅を直し、そして夫の待つ部屋へと帰った。通彦と結婚するということは、生活と舞台とが一緒になるということである。もはや帰る場所はない。

「そんなことが出来るはずはない」

タクシーのシートにもたれ、かぶりを振る。

「今なら間に合う、手をつくして通彦と別れるのだ」

しかし別の声が、跳べと麻也子に要求している。ここで勇気を出さなくては、麻也子があれほど忌《い》み嫌った生活がまた始まる。テレビの司会者が、お知らせの後で、まだまだ番組は続きますと言う時の、声の不気味さといったらどうだ。いったんCMが入り、中断されたものなど何の価値もない。続けなくては価値をもたないものは世の中にいくつもあるのだが、たいていの人間はそのことに気づかないものだ。

麻也子の結婚生活は、途中で通彦というCMが入った。その刺激的な面白さを知った麻也子にとって、「お知らせの後で」と始まる番組は退屈でたまらない。

そう、退屈なのだと麻也子は思った。退屈させるのはとても悪いことであるが、夫はそれ以外にもたくさんの罪を犯している。ほとんど自分を抱こうとしない罪、小心でつまらぬ男になった罪、母親にべったりで、言うがままになっている罪……。ああ、夫を憎むことが出来たらどれほどいいだろうか。麻也子の苦悩のいちばんの原因は、たとえうとましく感じても、夫を憎むことが出来ないことだ。

だが希望はある。それは今夜、航一が怒り、疑惑を抱いているだろうということである。夕食の買物に出かけたまま帰らず、用を思い出したから出前を取って食べていてくれ、などという妻を夫が許すはずはなかった。あの時、麻也子は小さな保険をかけたつもりであったが、あんな電話など何の役にも立つはずなどなかった。おそらく帰ったら、航一は怒り狂っている最中で、問い質《ただ》し、怒りをぶつけ、麻也子を許そうとしないはずである。それならそれできっかけがつかめるというものだ。人間が憎み合う時にも、ルールというものがある。どちらかがさざ波ひとつ立てない湖《みずうみ》のような時には、手も足も出ない。時化《しけ》てくる時こそ、感情の航海の時なのだ。

麻也子は音をわざと立てて鍵を開けた。しかし意外なことにテレビの音が聴こえてくる。深夜番組特有の、若い女のかん高い笑い声が、奇妙に平和な空気をつくっていた。テレビをつけっぱなしにして、航一はソファで眠っている。テーブルの上には、ビールの缶とドミノピザの残骸があった。夫のあまりの従順さに、麻也子は思わず腹を立てるところであった。自分の運命が大きく変わろうとしている時に、この夫は妻に言われたとおりピザを注文し、それどころか居眠りをしているのだ。

麻也子は値踏みをするように、じっくりと夫の寝顔を眺めた。航一のいいところは、眠っている時も、だらしなく口を開けないところだ。何かに耐えるように、唇はきっと結ばれている。これを本当に失ってもいいのかと麻也子は自分に問うた。答えは決まっている。失うのは確かに惜しいが、麻也子が切実に欲しいのは、もうひとつの男の唇なのだ。麻也子は二つの唇を所有し、うまく使いこなそうとしたのであるが、もうひとつの唇が激しくそれを拒否したのである。

麻也子はさらに夫の寝顔に目を凝らす。夫というのはなんと不利な立場なのだろうか。もうひとりの男は、夫の存在を知っている。場合によっては名前も顔も知っているかもしれない。しかし夫は、もうひとりの男を知るすべもない。それどころか、その存在さえ気づかない。いつのまにか、航一は自分の全く知らないところで戦い、敗北していたことになる。

やがて航一はうっすらと目を開いた。しかししっかりした声で、「お帰り」と言った。

「ごめんなさい」麻也子は反射的に声を出した。

「私、約束があるの、うっかりしてたのよ」

「全く冗談じゃないぜ」

航一の口調は怒りの海域までとても届かぬ、不機嫌という浅瀬で動き始めた。

「ステーキの夕食だと言ったかと思うと、忘れたと言って。買物に行くと出かけたら、そのまま行方不明だ。君、こりゃ、あんまりだと思わないかい」

こういう言い方のレベルだと、対《つい》になる言葉は、やはりやさしげな謝罪なのである。

「ごめんなさい、私、本当にうっかりしてたのよ」

「反省して、珈琲でも淹れてくれよ」

「わかったわ」

すべてが平穏さの中に押し込まれようとした瞬間、電話が鳴った。麻也子は息が止まる。麻也子を信用していない通彦は、計画を促すために電話をかけてきたのだ。

約束を破ったのだ！

しかし約束を破ったのは、麻也子の方が先かもしれない。

電話は鳴り続ける。

いつまでも鳴りやまない電話に、航一は顔をしかめた。

「いったい誰だろう、こんな時間に……」

居間の置き時計に顔を向けた。十二時を十五分過ぎたところであった。

通彦からの電話だ。そうに間違いない。あれほど電話をしないでくれと頼んだのに、彼は麻也子のことを信用していない。ことを起こし、別れ話をするきっかけをつくろうとしているのだ。

リリリリリ……。

昨年買い替えたばかりの、コードレス電話の音は大層愛らしい。しかし一向に鳴りやまないそれは、限りない悪意をその機械の奥に秘めているかのようだ。

こんなちっぽけなものが、こんな澄んだ音をたてるものが、もうじき麻也子をねじ伏せ、さまざまなものを要求してくるだろう。お前の人生を変えろと命ずるはずだ。

あれほど固い決意を持っていたはずなのに、麻也子は震えている。プールの飛び込み台に立った人間でさえ、後ろからせっつかれれば急におじけづくではないか。どうして通彦は、待っていてくれないのだろうか。

しかしけなげにも、麻也子は受話器を取ろうと前に進む。通彦の声を直接夫に聞かせてはいけない。自分が受け止め、翻訳して夫に伝えれば、まだどうにかなりそうな気がする……。

この期に及んでも、麻也子はまだそんなことを考えていた。が、麻也子は突然夫に遮られる。

「いいってば」

鋭さを含んだ声に、麻也子は息を呑む。やはり航一は気づいていたのか。

「こんな時間、悪戯《いたずら》電話に決まっているよ。いいよ、オレが出るよ」

彼の素早く乱暴な動作は、愛人と対決しようとする夫の怒りではなく、見知らぬ痴漢から妻を守ろうとする男らしさであった。しかしそれはすべて裏目に出た。最悪の事態だ。間もなく、疑問符から、怒声、そして罵声といった場面が繰り拡げられるのだ……。

「あれっ、どうしたんだよォ」

航一の声に、麻也子は顔を上げる。苛立ちを含んでいるものの、航一の声にも顔にも、やわらかさがにじみ出ているのだ。

「どうしたんだよォ、こんな時間にかけてきて。泣いてちゃわかんないじゃないか……」

ふん、ふんと航一は鼻であいづちをうち、麻也子は姑からの電話だと直感で知る。母親にべったりの男ほど、電話ではぞんざいに扱うものだが、航一もそうであった。いかにもめんどうくさそうな声を出すものの、長電話を切らないのが常だ。

「あ、ちょっと待って」

航一は受話器を手でふさぐ代わりに、自分の胸に埋めるという女っぽい動作をするが、何の隆起もない男の胸は、たいして防音に役立たない。だが航一は麻也子の方に向かって喋り始めた。

「あのさ、藤沢の伯父さんが、さっき亡くなったんだってさ」

藤沢の伯父さんと言われても、麻也子はすぐにどんな人物か思い出せない。そういえば結婚式の時に、背の高い、えらく尊大な老人がいると思ったこと、ごく最近、彼が大腸ガンで入院していると航一から聞いたことなどがぼんやりと、それでも順序立って浮かんできた。

「お袋のたった一人の兄弟だろ。なんだかすごくまいっちゃったみたいだな」

麻也子にこれだけ早口で説明することで、航一はいくらでも長く電話をする権利を取り付けたかのようだ。

「あ、大丈夫、うん……、聞いてるよ」

誠意を込めるあまり、前かがみにさえなる。

「ママの気持ちはわかるけどさあ、うん、うん……」

航一は麻也子の前でも、うっかりと「ママ」と呼びかけることがある。麻也子も実家の母親のことをそう呼ぶが、男だったら話は別だ。三十代半ばの男が、少年のように、たとえうっかりでも「ママ」と発音することは許せなかった。

麻也子がいつも、思いっきり軽蔑のまなざしで見つめるので、航一もしまったと思うらしい。極力「お袋」とか、「その」、「あの」といった表現を使うのだが、緊急事態という思いが、さっきから何度も「ママ」という言葉を舌にのせる。

「だからさぁ、気持ちはよくわかるよ。だけどさ、伯母さんには伯母さんのやり方があったんだろうし……。ママから見れば冷たいって思うかもしれないけどさ……」

航一はソファに座り込んだ。長電話の姿勢である。麻也子はその姿を見ないようにして洗面所へ向かった。ひどく肩すかしをくったような気分だ。恐怖さえ感じた電話の呼び出し音は、姑からだったのである。

麻也子は乱暴にサマーセーターを脱いだ。洗面所に立つといつもそうだ。自分の肌の美しさに見惚れてしまうのである。乳房というものは、むき出しの時よりも、こうして半分ブラジャーに覆われている方が光を放つ。鎖骨が真白い隆起に細い影をつくる。ブラジャーのヘリがつくり出す五角形の土地のなめらかさといったらどうだ。麻也子の命が、内側から照っているようである。

麻也子はふと思う。あの男はどうしてこれほど貴く価値あるものを、長い間ひとりじめしてきたのであろうか。しかもひとりじめにしながら、あまり使おうとはしなかった。あの男によって、麻也子の命や情熱というものは、空しく浪費されてきたのではないか。あの男というのは、今もソファに座り、「ママ」と呼びかけながら自分の母親と喋り続ける夫のことだ。安堵と同時に、怒りが麻也子の胸に居座る。全くどうしてこれほど長いこと、喋り続けることが出来るのか。

ああ嫌だ、嫌だ。麻也子は激しく首を横に振った。この世でいちばん嫌いな声は、夫が姑と喋る声だ。時々邪慳《じやけん》なもの言いをしながらも、夫は姑に甘えてじゃれつく。

「航一さん」

という向こう側の声も聞こえてきそうだ。

「だからさ、ママは伯母さんに何も言っちゃいけないよ。うん……口惜しいだろうけどさ、今何か言うと大ごとになるからね……。うん、うん……お通夜には、僕たち早めに行くからさ……」

これで終わるかと思ったとたん、話は再び最初に戻るのが、母と息子の会話の不思議さである。別に耳をそばだてているわけではない。耳ざわりな会話ほど、ドアや壁の隙間を伝わって入ってくるのだ。

「だからさあ、ママの気持ち、よくわかるよ。伯父さんとは仲よかったんだろ……。そりゃわかるよ。年とってから兄弟に死なれたら、そりゃつらいよね」

ああ、今出ていって、電話の終了ボタンを押すことができたらどんなにいいだろうかと麻也子は思う。綿のシャツとジーンズに着替え、化粧を落としても、二人の会話は続いているのだ。

「うん、うん、じゃあ、明日そっちへ行くからさ、それまでは短気起こしちゃダメだよ。わかったね、ママ、じゃ、おやすみ。ぐっすり眠らなきゃダメだよ」

やっと電話は切れた。航一は振り向き、すぐそこに麻也子が立っているのを見つけると、照れくさそうにうっすらと笑った。まるで何かの告げ口をする子どものようだ。

「あのさ、お袋のやつ、どうもまいっちゃってるみたいだな」

電話の時よりもさらに饒舌になっている。

「年とってから兄弟に死なれるとさ、すごいショックだっていうもんな。だからと思うんだけど、伯母さんの悪口がすごいんだ。伯父さんは相当の年金もあったはずなのに、横浜の汚なくて安い病院に入れた、ろくな看病もしなかったって泣いてるんだ。ほら、伯母さんとお袋ってさ、年が近い分仲があんまりよくないんだよ。お袋にしてみりゃ、大好きな兄貴をとられたっていう気持ちが、ずうっと残ってたんじゃないかな。それで葬式は、伯母さんと従兄の正樹が仕切ることになったんだけど、お袋はそれが気にくわない。あんなケチな母子だったら、ろくな葬式も出してもらえないんじゃないかって、心配してるのさ。お通夜はあさってらしいけど、君もさ、お袋からくどくど愚痴を聞かされるだろうけど、ま、我慢してよ」

「私――」

麻也子は言った。

「お通夜なんかに行かないわよ、絶対に。一回きりしか会ったことのない伯父さんが死んだからって、どうして私が行かなきゃいけないのかしら」

「えっ」

航一は口をぽんやりと開ける。この唇がさっきから何度も「ママ」と粘《ねば》っこく発音したのだ。麻也子はもはやそれを聞くのを耐えられない。そして気づいた。自分が選び出せば、拒否することを選び出しさえすれば、聞くことはないのだ。そう、やっとわかった。麻也子は選び出すことが出来るのだ。自分が描くとおりの生活を、ボタンを押すように選択することがいくらでも出来るのだ。

「それに私、あなたと別れるつもりなのよ」

想像していたよりも、はるかにすらりと言葉は出た。が、麻也子の心のどこかでこれを試し刷りのように思っていたところがあった。それが証拠に、最初の一枚目がひらひらと舞ったとたん、航一は低く笑った。

「何を怒ってんだ。そんなに通夜に行きたくないのか」

「お通夜にも行きたくないし、とにかくあなたと別れたいのよ」

「こんな時に冗談言うなってばさ」

航一は麻也子の顔から目をそらせ、テレビの画面に見入る。さっきの番組はとうに終わり、どこかの外国の風景が映し出されていた。航一はソファに体を斜めにあずけ、ゆったりとした姿勢をとっている。しかし不愉快な感情を持っている証拠に、唇はきっと結ばれていた。やがてはき捨てるように言う。

「通夜に行きたくないなら、行きたくないって言えばいいじゃないか。何も脅し文句言わなくたっていいだろ」

麻也子の怒りはさらに増幅される。この男は何もわかっていないのだ。別れという言葉を全く別な風にとっているのである。だから麻也子は今度ははっきりと口にした。

「私、別れたいのよ、あなたと。これって本気なのよ」

「はい、はい、わかりましたよ」

テレビの方を向いたままで航一は言った。

「別れたけりゃ、いつだって別れますよ。どうぞご自由に」

麻也子は自分が狼少年だったかどうかを思わず問うた。確かに過去何回か、「もう別れたいのよ」と口走ったことがある。夫婦喧嘩の最中である。しかしあの時の「別れる」と今の「別れる」とは、声の質もニュアンスもまるで違っているはずだ。航一はどうしてそのことに気づかないのであろうか。

麻也子は言葉の使い方を変えてみることにした。

「私、もうこんな暮らし、耐えられないのよ。ずうっとこんな風に過ぎていって、このまま私、四十になって、五十になるのかと思ったら、気が狂いそうになるの。ねえ、わかる、本当に私、頭がおかしくなりそうになるのよ」

「うるせえな」

さっきとは別人のような航一の顔があった。彼はめったに怒ることはないが、ひとたびその感情が起こると、人相まで変わってしまう。目と眉とが、まるで子どもが描いた絵のように、いっきに吊り上がるのだ。

「さっきから黙って聞いてりゃ、いい気になりやがって。いったい、自分を何だと思ってるんだ」

罵声《ばせい》を浴びせるといっても、坊ちゃん育ちの彼は、悪口のボキャブラリーが少なく、舌がうまくまわらない。そのもどかしさで、彼の形相は次第に険しくなっていくばかりだ。

「お前はさ、昔っから、オレの親戚大っ嫌いで、ろくにつき合おうともしないよな。結婚してからさ、一人もここに招いてくれたことがない。だけどさ、オレにとっちゃ、大切な伯父さんなんだぜ。この何年かは会ったこともなかったけどさ、子どもの頃はよく遊んでくれたもんさ。その伯父さんが死んだんだ。お通夜どころか、すぐに手伝いに行くのがあたり前じゃないか。それを不貞腐れて、離婚だ何だって騒ぎたてる。お前ってどういう神経してるんだよ」

どうやら別れを切り出した時がまずかったと麻也子は唇を嚙む。姑との長電話が、奇妙な勇気を駆り立てたのであるが、人が死んだ時に別れ話という取り合わせは、やはり無神経だったかもしれない。

しかしここでひるんではいけなかった。もし麻也子が引き下がったりしたら、今発した「別れる」の価値はたちまち下落し、過去に口にした多くのその言葉のひとつになってしまうはずだった。

「でも――」

麻也子は切り札を使う。どんな論理も、どんな正義もかなうことが出来ない、女の「でも」である。

「でも、私は別れたいのよ」

「わかったよ、勝手にすりゃいいだろう」

航一はテレビを消した。そして麻也子の方をきちんと向く。憎悪を込めて睨みつけるためだ。

「明日にでも離婚届を貰ってこいよ。そうしたらいつでもハンコついてやるぜ」

もちろんこの言葉は信じるに価しないものだ。航一はおそらく、この暴言をクライマックスだと思っているだろう。あと二、三日、冷たい関係が続き、そしてやがては日常生活の曖昧《あいまい》さにすべてが流されてしまう。彼はそのなりゆきを少しも疑ってはいない。

麻也子はといえば心の中で何度もつぶやいている。

「これから長い戦いが始まるのだ」

戦い、そうだ戦いなのだ。麻也子はやっと夫を憎むという当初の目的に近づいたようなのである。

第八章　運命

　そして朝が来た。全く意外なことであったが、麻也子はぐっすり熟睡し、いつもと同じように目覚まし時計の音で目を開けた。昨日と何ひとつ変わりない朝が来ようとしていた。

　出社する時間は、航一の方がやや早く、麻也子は珈琲を淹れ、卵を焼いてやったりする。その間、航一はネクタイを結びながら、トースターにパンを入れ、焼き上がったものに純植物性マーガリンを塗る。

　昨夜あれほどの諍《いさか》いがあったにもかかわらず、朝の分業は淡々と行なわれた。が、航一は当然のことながら不機嫌を引きずっているようだ。乱暴に珈琲茶碗を受け取り、無言でトーストを咀嚼《そしゃく》する。パンをはさんでいる親指とひとさし指に、マーガリンの脂がにじんでいる。航一は箸使いもあまりうまくないが、食べものを手で食べるのも上手とはいえない。はさむ強さの加減や角度がつかめず、よく汁をぽたぽたとたらすのだ。

　やがて彼はスティックシュガーを慎重に破り、逆さにする。白い顆粒の砂糖は小さな雪崩となり、またたくまに黒い表面に吸い込まれていく。この時おそらく、昨夜の争いも少し溶かしてもいいと考えたのであろう、初めて声を発した。

「今日は早く帰るよ」

　彼は若いニュースキャスターの掲げるボードに、目をやるふりをした。

「課の飲み会があるけど、うまく帰ってくるよ。八時には帰るようにする」

　実は先ほどから、麻也子は肩をいからせ、既にさまざまな準備をしていた。どんなことをしても、今日を「いつもの朝」にしてたまるものかと身構えていたのだ。だからこんな言葉が反射的に出てくる。

「あら、よかったわ。だったら、昨日の続きしてくれるわけでしょう。今夜こそ、じっくり話し合ってもらいたいわ」

「お前よ」

　怒りが爆発した時、航一は「君」から「お前」という呼び方になる。それが彼が知っているいちばん汚ならしい呼称なのである。

「お前よ、いいかげんにしてくれよ。いったい何を考えているんだ、朝っぱらから、気分悪いことを言いやがって」

「朝から、私、何も言ってやしないわよ。話し合うのは夜のつもりよ。あなたもそのつもりで、早く帰ってくるんでしょう」

「いいかげんにするんだッ」

航一は珈琲茶碗を、まるで割るのが目的のように、受け皿にたたきつけた。ヘレンドの愛らしい茶碗は、確か結婚祝いにもらったものだ。その友人も昨年、離婚していることを麻也子は思い出す。新婚間もない女から、婚約中の女に手渡された時、二客の珈琲茶碗は、まるで幸福のバトンのように見えたものである……。

「朝からくだらないことを、ガタガタ言うんじゃないよ、全くいいかげんにしろッ」

上はシャツにネクタイを締め、下はパジャマのズボンという格好の航一は、ひどく滑稽に見える。もっとぶざまなものを、いっぱいみせてくれればいいのにと麻也子は思う。自分が手放してもいいと考えるものの欠点は、多ければ多いほど得した気分になるものである。それが夫だったらなおさらだ。

やがて寝室から、戸を開ける音が聞こえてきた。航一がわざと、クローゼットを乱暴に扱っているのだ。麻也子は億劫《おっくう》な気分になる。男の腹立たしさにつき合うというのは、本当にエネルギーが必要で疲れる作業なのだ。男が怒ると、あたりの空気を吸い込み、同時に毒素をまきちらしているかのようだ。そのぴりぴりした空気が、ダイニングテーブルの上まではっきりと伝わってくる。

しかし麻也子はこれに屈してなるものかと思う。そして叫んだ。

「ねえ、とにかく今夜二人で話し合いましょう。だから早く帰ってきてちょうだい」

返事はなかった。


会長が自分の席に着くのは、たいていの場合十時半をまわっている。近くのホテルのプールで、ひと泳ぎしてくるためだ。三年前、ある総合雑誌のグラビアに、「私の趣味」ということで登場した時も、彼は水泳用パンツで撮影させた。なんでも水泳は、旧制高校時代からのもので、得意中の得意なのだそうである。

麻也子は時計を眺めた。十時七分過ぎ。彼が読む新聞を整えたり、パンを焼いたりと、そろそろ今日の準備をしなければならない頃であろう。

その時に電話が鳴った。今度こそ通彦からだろうと見当をつける。会社の人間だったら、この時間会長がプールに行くことを知っていたし、だいいち隠居仕事の彼に、午前中から電話がかかってくるほど重要なことなどないはずである。

そしてやはり、通彦の声がした。

「もし、もし、僕だよ」

「ああ、こんにちは」

なんと間の抜けたことを言ってしまったのだろうかと、麻也子はとっさに後悔する。

しかし、こんにちは、と言って受話器の向こうの通彦も笑っている。

「ねえ、おじさん、まだ来てないだろう。あそこのプールなんだよね、この時間は」

「よくご存知ですね」

「昔あのスポーツクラブに二回だけ連れていってもらったことがあるんだ。クロールでも、平泳ぎでも、僕の方がずっと早いもんだから、じいさん、年甲斐《としがい》もなくむっとしていた」

通彦は会長のことを、近しい者だけが使えるぞんざいさで言ってのける。そしてその陽気とも言える口調を変えないまま、いきなり問うてきた。

「ねえ、あのこと、ちゃんと話してくれたんだろうね」

「ええ、帰ってすぐ、話したわ……」

「ダンナは何て言ってた」

「そんな……、突然あんなこと言ったら、普通驚くわよ。とても本気になんかしてくれないわ」

「ふうーん……」

納得出来ないぞ、という風に鼻を鳴らした。

「それって、君の言い方が悪いんじゃないかな」

「そんなことないわ。私はちゃんときちんと話したつもりよ。おかげで大喧嘩になったわ」

「いや、君の言い方って、いつも思うんだけど甘いよ。きついことを言っていても、どこかで余韻を残してる。嫌われないようにって一生懸命やってるんだ」

「ねえ、私のこと、朝からそんな風になじらないでちょうだい。そうでなくても、昨日のことで、本当に大変だったのよ」

「ごめん、ごめん、僕が悪かったよ」

このうえなく我儘な恋人は、とたんにやさしさこのうえない恋人に変わる。

「昨夜さ、麻也子がちゃんと言ってくれたんだろうかって、僕は心配で眠れなかったんだ。もちろん君のことは信じているけど、本当に心配だったんだ……」

「もちろん、私のことを信じていてちょうだい」

〝信じて〟と発音した時、面映ゆさと、白々しい痛みとが麻也子の舌をかすめる。昨夜、姑からの電話がなかったら、おそらく自分は何も言い出さなかったに違いない。重要な行為というものは、その場のなりゆきや偶然でいくらでも右、左に揺れるものなのだ。

「とにかく、今夜うちに来てくれよ。いろいろ相談しなくちゃならないこともあるし」

「とんでもないわ」

麻也子は小さく叫ぶ。一緒にいる時は感じたことがないが、通彦とはまるで別の空気を吸っているような気がする。麻也子が人妻のＯＬで、しかもここが朝の十時をまわった職場であることが、通彦には全くわからないようなのだ。

「彼も早く帰ってくるって言ってるし、私も早く帰らなきゃいけないわ。昨日の話し合いの続きをすることになっているの。その私が、遅く帰ったりしたら、どんなことになると思うの」

「そりゃ、そうだよね」

通彦は案外素直にあいづちをうった。

「君ひとりだけで戦わせて、本当に可哀相だと思うよ。だけど僕が出てくわけにはいかないんだろ」

「そうよ」

「もうちょっと頑張ってくれよ。頼むよ。僕たち二人のためなんだからな」

音楽を愛好する人間だけあって、通彦の声は大層よい。深みを持っているうえに、表情をつくることさえ出来る。よって最後の言葉は、じんと麻也子の心にしみる。あまりにも効き過ぎて、芝居がかっているといってもよいぐらいだ。しかし、この芝居気ある言葉は、今の状況に似合っているといってもいい。夫に離婚を迫る妻と、その愛人とが、慌《あわただ》しく会話をかわしているのだ。全く、この二、三カ月というもの、麻也子はずっとテレビドラマの中にいる。

「頑張れよ、愛してるから」

「私も」

途中、腹立たしいこともあったが、この恋人の言葉は麻也子を充分に満足させた。そして電話が切られた。

帰りの電車の中で、麻也子はある考えにいきあたった。

別れ話が持ち上がっている夫婦の場合、夕食はどうしたらよいのだろうか。いつもだったら帰りが遅い航一は、ほとんど家で食事をとらない。麻也子の方もたいてい友人と約束して何か食べるか、そうでなかったら、家でクラッカーとサラダといった程度の簡単なものを食べる。考えてみると、二人が食事を一緒にするなどということは、週末以外ほとんどないのだ。

早く帰ってくると航一は言い、自分もまだ何も食べてはいない。となると、否が応でも夕食をつくらなくてはならないのだろうか。それはとてもおかしなことだ。別れると言っている夫婦の片方が肉を焼き、もう片方が皿を並べるなどという光景は、ありうるはずがなかった。

そうなると出前を取るのが妥当なところか、麻也子は家にたくさんあるメニューの類を思いうかべる。ピザは昨日注文したばかりだし、四十分以内にお届けしますという鮨屋は大層まずい。とんかつ屋にしても似たようなものだろう……。

途中で麻也子は、こんなことに思いをめぐらす馬鹿馬鹿しさに、うんざりする。自分は夫に別れを持ちかけるという、非日常的なことをしようとしているのだ。そこに夕食というごく日常的な気遣いは不要なはずだった。

すべてはなりゆきにまかせるというのが、あるべき別れ話の現場というのではなかろうか。しかし、航一はなかなか帰ってはこなかった。暇な職場に契約社員として勤める麻也子と違い、働き盛りの航一は早く帰るといっても限界がある。

九時をいくらかまわった頃、ようやくマンションのドアが開いた。航一は夏ものの紺色のスーツを着ていて、それが玄関の光で少し透けて見える、その軽やかさを意外なもののように麻也子は見る。別れを告げようとする夫が、しゃれたものを着ていることはなぜか理不尽なことに思われた。

航一はどさりとダイニングテーブルの上に黒いアタッシェケースを置く。わざと立てた大きな音が、彼の怒りを表しているようであった。

「何か食べる」

〝お帰りなさい〟という代わりに、麻也子は言った。本当に空腹だったのだ。しかし航一は何も答えない。

「あなた、もう食べてきたの。だったらそう言ってよ。ねえ、何か食べるの、食べないの」

麻也子は声を荒らげる。空腹はもう我慢出来そうもないくらいであった。

「うるさいな」

航一は麻也子を睨んだ。その目の色から夫も決して満腹ではないと麻也子は悟る。

「残業やめて帰ってきたんだ。食べてるはずがないだろう」

航一の視線が食卓のあたりで止まっている。彼は深く失望しているようだ。箸置きひとつ置かれていない食卓は、妻の心そのままだ。もしかすると彼は、皿がいくつも並んだ、仲直りの食卓を期待していたのかもしれない。

「じゃあ、デリバリーを頼むわ。あなた、昨日ピザ食べたから、お鮨にするわね」

麻也子はよりによって、いちばんまずいものを選び出した。このあたりでは、普通の鮨屋ではなく、デリバリーの専門店が幅をきかせているのだ。麻也子はおとなしの口紅の流行色そっくりの臙脂《えんじ》色のマグロや、それだけがやけにぶ厚いハマチを思いうかべながら、電話をかける。

「あじさいセットを二つね、ええ……お願いします」

ふり返ると、静寂と夫が待っていた。航一はテレビもつけず、スーツを着替えようともしない。ソファに浅く腰かけてこちらを見ていた。麻也子は居心地の悪さから、思わず媚びた声を出す。

「あのね、今ちょっと混んでて、お鮨、一時間かかるんですって。それでもいいわよね」

航一は何も答えない。どうやらまたきっかけは、麻也子の方からつくらなければならないようだ。

「ねえ、昨夜のこと、考えてくれたかしら」

麻也子は少しずつソファの前に近づく。まるで舞台の定位置まで歩いていく、ひとり芝居の女優のようだ。が、仕方ない、どうやら第二幕は上がったようなのである。

「あなたには突然のことだったかもしれないけど、私はずうっと考えていたことなのよ。私、このまま年とっていくの、すごく嫌なの。ねえ、わかってくれる。やり直したいの、そう、やり直しよ」

やり直しと言ったとたん、通彦の顔が麻也子の脳裡をさっと彩る。いけない、いま彼のことを考えてはいけない。

「私、まだ三十三歳になったばっかりなんだもの、やり直せると思うの。私、このままじゃ、嫌なの。絶対に嫌。このままじゃ、いつかあなたのことを憎んでしまうと思うわ」

この言いまわしはなかなかよい。最後までよい子でいたいという麻也子の願望にぴったりだ。しかし夫は何の反応も見せない。

「ねえ、なんとか言ってよ。ねえ、あなたが黙ったままだと、何の進展もないわ」

かすかな風が起こった。航一がソファから立ち上がったのだ。

「うるさいっ」

その途端、麻也子の左のこめかみに重い痛みが走る。殴られたと気づくまで数秒かかった。それは生まれて初めての衝撃である。麻也子は呆然とする。

「殴ったわね……」

どうやら大きな計算違いのことが始まったらしい。

麻也子は殴られた頰を押さえた。そうひどい痛みではない。それよりもショックのあまり、麻也子の肩は大きく波うっている。

が、唐突に全く関係のない奇妙な考えが麻也子の中にうかぶ。よくこういう時、女は必ず、親にもぶたれたことはないのにと言って男を非難するが、自分も果たしてそうだろうか。確かに子どもに甘い若い両親であったから、これといって激しく叱られたことはない。が、確か中学三年生の夏休みに、友人の家で行なわれたパーティーですっかり浮かれてしまい、門限に大幅に遅れてしまったことがある。覚え始めたアルコールの味や、男の子とのペッティングは、それこそ麻也子を居直ったシンデレラにしたものだ。

あの時、タクシーで家の前に着いた時、ガレージの前に父が立っているのが見えた。いつもはおしゃれな父親だったのに、くたびれたカーディガンを着ていて、ひどくおじさんに見えたことを今でもはっきりと記憶している。

「子どもがこんな時間まで、出歩いていていいと思ってるのか」

そしてそのくたびれたおじさんから、麻也子はいきなり殴られた。おそらく彼は、瞬時にアルコールのにおいも嗅ぎとったに違いない。そして同時に、さっきまで幼い自分の娘の乳房をまさぐっていた、少年の体臭も感じたのだろう。

麻也子は思う。たとえ父親であれ夫であれ、男が女を殴る時、その根底にあるのは嫉妬なのだ。航一が通彦の存在を知っているはずはないが、妻の心が既に遠いところに向いていることは感じとった。その怒りが、航一のような男にさえ、こぶしを上げさせるのだ。

とっさにここまで分析出来るというのは、あきらかに麻也子が勝者の立場に立っているからである。

「殴ったわね、こんなひどいことをするなんて……」

麻也子は夫を強く見据える。目をそらしたのは航一の方だ。妻を殴ったという事実に彼自身がうろたえている証拠に、喉仏がごくんと大きく揺れた。

「こんなことするなんて、私、絶対に許せないわ……」

麻也子は一言、一言、はっきりと発音する。

これは完璧な勝者というものだ。今までは後ろめたいところがあり、麻也子の方が下手《した》に出ていたこともあったのだが、これですべて逆転した。殴ったことにより、航一は、

「あきらかな非」というものを負わされたことになる。これを利用して、麻也子は次第に強気になれそうだ。通彦から責められ、自分も迷い、だらだらと続いていた離婚問題を、これに乗じて一気呵成《かせい》に解決出来るのではないかという思いがわく。

正直なところ、今まで麻也子は自分の強さや、意志の持続というものにあまり自信を持てなかった。何か大きな力が働き、自分がこうありたいと思う場所に、風のように攫《さら》っていってくれないだろうかと思っていたのであるが、航一のこの思いもかけない暴力というのは、風のような役割をしてくれたようだ。

「私、実家《うち》へ帰るわ」

麻也子は言った。

「とても、こんなところに居られないもの」

「ちょっと待ってくれよ」

航一は本気であわて出した。今までも何度も諍《いさか》いはあったが、麻也子が実家へ帰ると言い出したのは初めてのことだ。しかも自分が殴ったことが原因になる。

「今のは謝るよ。確かに手を上げたりして悪かったと思う……」

航一は喧嘩相手の前で、仕方なく謝らせられる少年のようだ。唇をいかにも口惜し気にきっと結んだ。この男はことの重大さを全くわかっていないと麻也子は思う。忘れかけていたのに、再び頬に手をやる。強い日焼けのようなぼんやりとした感触だけが残っている。

「だからもう一回ちゃんと話し合いをしよう。いま君が横浜の実家《うち》に帰ったりしたら、後はどんどんややこしく重大になってしまうと思うよ。僕らはちゃんとした大人なんだからさ、僕たちだけで解決していこうよ。すぐに親を巻き込むのはいけないと思うよ」

ふんと麻也子は鼻を鳴らした。毎週実家へ帰り、二日にいっぺんは母親と長電話をするのは、いったいどこの誰なのだろうか。親を巻き込むのはいけない、などともっともらしいことを言っているこの男だ。麻也子の中である企みが生まれ、それが赤くはじけていく。麻也子が実家に帰れば、ことが大ごとになることは間違いなかった。当然姑の綾子も動き出すはずだ。

夫婦の争いは、いずれ両家の間に野火のように拡がっていく。そして風が起こる。麻也子が待ち望んでいる、あの運命という大きな風だ。

「とにかく帰るわ」

言った後で、〝とにかく〟という言葉が暫定的という意味にとられたらどうしようかと思う。それでもう一度宣言した。

「今後のことは、親を交じえてちゃんと話し合いましょうよ。その方が冷静になれると思うの」

寝室に入り、麻也子はまたもや、この場に不似合なことを考える。よくアメリカ映画などを見ていると、家を出ていく妻はまずスーツケースを引っ張り出し、それをベッドの上で開ける。そしてクローゼットの扉を開け、ハンガーごと洋服をスーツケースの中に放り投げる。ものの五分とかからない。

しかし日本人である麻也子は、ルイ・ヴィトンのボストンバッグを納戸の奥から出す。独身時代に買ったこのバッグは、本当に長持ちしていて、何度も旅行に使ったものだ。そしてひき出しを開け、下着を取り出す。隅の方に、極上のシルクを使ったものを畳んである。真珠色のスリップは、初めて野村と浮気した時に着ていたものだ。麻也子はその証拠品をランジェリーケースの中に収めた。あれからもう随分たったような気がする。

それからパンツスーツと、スカートを二枚、ブラウスを二枚。三泊四日程度の小旅行ほどの荷物になった。どうせ近いうちに、航一の留守を見はからって、荷物を取りに来るつもりだ。今日はこのくらいでいいだろう。

寝室から玄関へ行くのに、リビングルームを通らなくてはならない。航一はソファに座ってテレビを見ている。衛星放送だろうか、黒人と東洋人のボクサーが闘っている。

麻也子は黙ってそこを通り過ぎた。ドアを後ろ手に閉めた時、夫の声がした。

「オレが、いったい何をしたって言うんだよ」

怒りでも、詰問でもない。彼は本当に困惑していたのである。

麻也子の実家への帰宅は、当然のことながら騒ぎを巻き起こした。まず母親の説得が始まったが、かなりの地位にいたサラリーマンの妻の人生しか知らぬ彼女の言葉は、あまり重みがない。

「私だって、あんたたちに言えないような苦労が、いろいろあったのよ」

というお決まりのセリフが続いたが、父は四国に実家がある次男である。母は姑の苦労などほとんどしていないはずであった。強いて挙げるとしたら、父親が浮気したぐらいであろうか。一部上場の企業の部長から、子会社の役員に横滑りした父親は、小心でそのくせ要領のいいところがあるから、女性問題もうまく隠しおおせたはずである。フラワーアレンジメントと英語のサークルを二十年近く続けている母親の苦労というものに、麻也子は見当がつかない。短大を出てすぐ結婚した母の恭子は、まだ五十代の若さである。

やがて「しばらく様子を見る」という状態が終わり、恭子は水越の家と連絡をとり始めた。これが麻也子の想像していたとおりの、険悪さを生むことになった。姑の綾子も、母の恭子も、どちらも安逸な生活をおくる主婦ということには変わりはないが、麻也子の見る限り、姑ということを差し引いても、綾子の方がはるかに意地が悪く、どこか歪んだ部分を持っている。これはもしかすると、息子を持ち、溺愛した母親が陥りやすい暗さかもしれない。どんなことをしても、この世で最も愛する男、つまり息子と寝ることの出来ない母親というのは、たえず欲求不満をくすぶらせているものだ。

そこへいくと麻也子と、麻也子の姉という娘二人を育てた恭子の方が、はるかに単純であった。なんとか夫婦仲を修復させるために、母親同士が協力しようと本気で考えていたのである。電話だけでは埒《らち》があかぬと、わざわざ駒沢の家まで出かけて行った恭子は憤慨して帰ってきた。

「あのお姑さんじゃ、麻也子が航一さんと別れたいって言うのも無理はないわ」

なんでも綾子は、のっけから麻也子を我儘な嫁と決めつけ、息子があまりにも可哀相だと涙を流したという。揚句の果ては、結婚してこんなに時間がたっているのに、子どもが出来ないのはおかしいと言い出したという。おたくの家系には体の弱い人がいるのではないか。こうなるのがわかっていたら、結婚する前にちゃんと調査をすればよかった。こんなことを言うのはなんだけれど、航一にはもったいないような縁談がいくつもあったんですよ。某省の政務次官のお嬢さんや、銀座の老舗《しにせ》のとても美しい方もいたのに、航一がどうしても麻也子さんがいいっていったから、私たちは仕方なく承知したんですよ。最初から、愛想もなければ気も遣ってくれなくて、たまにこの駒沢のうちへ来ても、ひとりで新聞を拡げているような人だった。私はね、息子から今度の話を聞いた時に、心の中でやっぱりっていう声がしたんですよ。麻也子さんだったら、自分が気にくわないからって、ある日突然ぷいって出ていくのもやりかねないわ。ねえ、麻也子さんはそれでいいでしょうけど、うちの航一はどうなるのかしら。ちゃんとした大学を出て、会社の中でも期待されているあの人が、バツイチなんて言われるんですよ。麻也子さん、航一の未来をいったいどう思ってるのかしらね……。

そんなことを一方的にまくし立てたというのだ。

「女が別れたい、って決意するのはよっぽどのことなのよ。それなのにどうしてあのお姑さんはわからないのかしらね。私は麻也子が本当に可哀相で、可哀相で」

そしてやがて恭子は「異常」という言葉を口にし始める。綾子の非論理性、常識のなさは、どこか精神に障害をきたしている人間独得のものだというのだ。いつのまにか二人の母親同士は、その子どもたちよりも激しくいがみ合うようになっている。航一と麻也子を交じえ、両家で話し合うことになったのだが、その会場をめぐってまたひと騒動持ち上がった。綾子がうちに来てくれと主張すれば、恭子が女の側に男が来るべきだと言い張る。おかげで麻也子が家を出て二週間近くたっているのであるが、話は膠着《こうちゃく》状態に入ったままだ。

そんなある日、姉の留美子がやってきた。麻也子とこの二つ違いの姉とは、一時期部屋ばかりでなく、化粧品も生理ナプキンの箱も、ボーイフレンドも共有したほどの仲のよさである。ボーイフレンドを共有といっても、子どもの時のことだから他愛ないもので、キスもまだしたことがなかった十三歳の麻也子を案じて、留美子が当時つき合っていた高校生の男の子を、デートに貸し出してくれたのだ。姉の協力で麻也子は恋の初歩のいくつかのことを済ませ、後に別の男の子との初体験も、すべて包み隠さず姉に打ち明ける習慣をつくった。

留美子は麻也子と同じミッションスクールを幼稚園から高校まで進んだのだが、高校生の時絵描きになりたいと美大を受けて合格した。自分の経験から、女というのは、お嬢さまとしての価値をつけ、それなりの結婚をするのがいちばんの幸せと信じていた母の恭子は、そのコースからはずれ始めた留美子のことを本気で心配したものだ。

しかしいつしか自分に絵の才能も、気概もないと察した留美子はただちに軌道修正を始めた。パーティーで知り合った商社マンの男と、在学中に婚約をし、卒業式を待たずに彼の任地ローマへ一緒に旅立ったのだ。この地ですぐに双児の母親になった留美子は、帰ってきて意外な商才を発揮した。イタリアの女性についてのイラストや短文を、女性誌に発表するようになったのだ。子どもに手がかからなくなった今では、とても主婦のアルバイトとはいえないほどの金を稼いでいるという。今日も留美子は、外国製らしい薄物のワンピースに、手入れのいきとどいた素足といういでたちだ。かすかに染めた髪が、若々しくあか抜けた雰囲気で、彼女がまだ自分の美貌になみなみならぬ自信を持っていることを示していた。事実、若い頃の留美子は、プロダクションから何度もスカウトされたこともあった。

留美子は夕飯の後、顎《あご》で麻也子に合図した。二階の部屋で二人きりで喋ろうということらしい。

「ママに説得するように言われても無駄よ。私、留美ちゃんに何て言われようと、本当に別れるつもりなんだから」

これまた娘時代、姉と共有していたソファに、麻也子はどさりと体を投げ出す。昔はこうして夕食の後、二人で両親に隠れてこっそりと煙草を吸ったものである。

「別に私、やめろなんて言わないわよ。今どき、妹が離婚したからって、肩身が狭くなるわけじゃなし……」

留美子はいつのまにか、階下から缶ビールを持ち込んでいた。今夜は泊まるつもりで、化粧もすっかり落としている。

「ねえ、麻也、私にだけは正直なこと言いなさいよ。あなた、男が出来たんでしょう。それで別れるつもりなんでしょ」

二人の女の目と目がからみ合い、麻也子はぺろっと舌を出す。

「あたってるわ……でもママとかには黙っててよ。知られるとうるさいし、話がこじれるからね」

「どうりでおかしいと思った。航一君って、我慢しようと思えば出来るタイプの亭主だものね。何も離婚なんて、めんどうくさいことをしなくってもいいと思ってたわ。それで、相手の男は、妻子持ちなの、それとも独身なの」

「もちろん独身よ。正式に別れたら、私たち結婚するつもりなのよ」

「まあ、いいけどさ……。麻也も世間並の人妻だったのね。ねえ、ひとつだけ言ってあげる。よその男っていうのはね、夫と違って責任ないからいくらでも甘い言葉言えるし、優しくだってしてくれるのよ。その場限りでいいんだもの。そういうの、信じるかどうかは、麻也の勝手だけど」

「私は、あの男を信じてるし……、もうこうなったからには進むしかないの」

麻也子は自分に言いきかせる。

「あのね、私、あの男の前にもう一人いたの。ダブル不倫っていうやつよ。責任がないから、その場限りだから甘いこと言うんだってよおくわかってる。それでもいい、甘いものが欲しかったのよ。心底欲しかったの……。それでもよかったの。ねえ、世の中の奥さんって、男の人から抱きすくめられたり、好きだって言われたり、キスされたりしないで、どうして生きていけるんだろう……」

留美子はそれには答えなかった。

次の日は土曜日であった。麻也子は遅めに起きて髪を洗い、丁寧にブロウする。夫と別れて暮らすようになってから、ほんの少し短くしてシャギーを入れた。本当は軽めの茶色に染めたいところであるが、秘書という立場上無理のようだ。いくら閑職の会長といっても、日に何度か来客はあるし、文書を取り次いだりすることもある。

流行の髪は出来ない代わりに、麻也子はマニキュアに凝るようになっている。今まではおとなしめのピンク色やオレンジにしていたのであるが、今日は白パールにした。航一と暮らしている時は、爪の手入れをしていてもどこかせわしなかったと麻也子は思う。それが実家の自分の部屋では、ゆっくりと爪を塗っていても、誰も用をいいつけたりはしない。

「ねえ、麻也……」

後ろを振りかえると、雑誌を手にした姉の留美子が立っていた。どうやらトイレから出てきたところらしい。留美子にしても、夫の前ではこんな自堕落なところは見せないだろう。嫁いだ女二人は、実家という穴ぐらの中で、思いきりだらしなく四肢を伸ばすかのようだ。

「麻也、忠告しとくけどね、別居中の妻って、尾行されてることがあるのよ。男に会うのは、ちょっと控えた方がいいかもよ」

麻也子は何ひとつ反論出来ない。おとといのこと、痺《しび》れを切らした通彦から電話があり、今日の午後、会う約束をしたのである。

「あのさ、あなた、航一君のことをなめているようだけれど、彼だって馬鹿じゃないわ。

いい加減、あなたのことおかしいって思うんじゃないかしら。そんな時に男に会っているところを見つかったりしたら、大変なことになるわよ」

留美子は友人のこんな話をした。長いこと離婚係争中で、別居を続けていた妻が同窓会へ出かけた。よくある話であるが、ここで初恋の男と再会する。都合のいいことに、彼は何年か前に離婚を済ませていた。二人でホテルへ行き始めた頃と、別居中の夫が気まぐれに興信所に頼んだ時期とが、ほぼ一致したというのだから、本当に運の悪い女だ。五年間、これといった浮気もせずに別居を続けていたのであるが、たまたま恋人が出来たことによって、決まりかけていたかなりの額の慰謝料をふいにしたというのだ。

「でもその女の人、新しい恋人と結婚したんでしょう。そうだったら仕方ないことじゃないの」

「そんなドラマみたいなことは起こらないわね。昨日も麻也に教えてあげたでしょう。彼女の男がね、人妻に好きだ、愛してるなんて言うのはね、その場限りのことだからよ。その男はね、別居中だってことを言いふらしたから、遊べる相手だって思われたのよ。その男はね、彼女が正式に離婚したとたん、すぐに逃げたわよ」

嫌な話を聞いたものだ。だからといって通彦との約束を反故《ほご》にするわけにはいかない。麻也子は姉の視線を避けるようにして、クローゼットの扉に進んだ。茶色のスーツを着ていくつもりであった。カーディガン風のしゃれた形で、麻也子の肌の色に合う。それより何よりも、脱ぎ着に便利な前ボタンなのだ。

「大丈夫、あの人に興信所頼むなんて器用なことが出来るもんですか」

小さなくるみボタンをとめながら麻也子は言った。

「私、自信があるの。あの人、妻に絶対に尾行をつけさせたりはしないわ。別に私のことを信用しているからってわけじゃないのよ。ただ本当のことを知るのが怖いの。あの人ってそういう人だもの」

そう言って、麻也子はふと目をやる。留美子がふふっと笑っている。

「やっと離婚する女の口調っぽくなったじゃないの。あなたって、もうひとつ吹っきれてないって感じで、本気で別れる気なんだろうかって、思ってたんだけど」

「おかしなこと言わないでよ、私はずうっと本気よ」

「そうかしらねえ。本気で夫と別れるつもりの女は、あなたみたいにお気楽な顔をしていないわ」

「どこがお気楽よ」

「鏡を見せてやりたいわよ。好きな男とデートしに出かける、若い女とまるっきり変わらない顔してるわ」

「そんなことないわよ。いろいろ悩んでいて、相談があるから会うのよ」

「そんなこと、誰が信じるもんですか。麻也はね、今の状態がいちばん気に入ってるんじゃないの。なんだかずるずる別居が続いていて、好きな男がいるっていうのがね」

「そんなことないわよ……」

「本気でね、亭主と別れたいって思ってる女はね、もっと醒めてて怖い顔をしてるわよ。人間決断をする時っていうのはね、どんないい加減な女でも、もっと凛《りん》としてるものよ」

「留美ちゃん、よく言うよ。自分は離婚したことがない癖に」

「結婚して十年以上たってる夫婦なんてね、しょっちゅう離婚のシミュレーションしているようなものよ。別れる時の気持ちは、何度も味わってるわよ」

「シミュレーションじゃなくて、現実に別れちゃえばよかったのに」

「子どもがいればね、そんなこと出来ないわよ。否でも応でも、子どもは現実そのものなんだからさ」

「ふうーん……」

「でもね、よく考えてみれば、離婚なんて子どものいない女の特権みたいなものかもしれないわよねえ。カーテン替えるみたいに、自分の生き方変えるっていうのも、ありかもしれないわよねえ……」

　留美子の言葉を、麻也子はところどころつくり替えて通彦に伝えた。

「ふうーん、結構さばけたお姉さんだね」

しかし彼は、これといった興味を示す様子はない。麻也子は最近気づいたことであるが、ひどくロマンティックなことを好む癖に、通彦は抽象的な物言いが苦手である。相手が何を言おうとしているか理解しようともしない。

しかし今は少々タイミングが悪かったかもしれない。通彦は麻也子のくるみボタンをはずすのに夢中である。不倫というものを味わってから、麻也子は気づいたことがある。それは脱がせる難易度と、欲望との関係についてだ。頭からすっぽりと脱ぐようなものは、あまり色気がない。望ましいのは前開きの服であるが、それもあまりにもたやすく開くというのは意味がない。棄権した走者に褒賞を渡すようなものだ。やはり努力するもの、五つ以上のボタンは必要であろう。

通彦は麻也子の大好きな細くすんなりとした指で、几帳面にボタンを解いていく。セックスに関するこうした几帳面さというものも、通彦の長所のひとつではないかと麻也子は思うようになっている。

途中から荒々しい動作に入っていくとはいうものの、通彦は行為全体が丁寧で時間をかける。夫との、省略し、最短化したセックスとは大違いだ。やがて通彦の舌が動き始め、麻也子はうっとりと目を閉じる。自分がとてつもなく大きな封筒になったようだ。胸の先端に糊しろがある。中に便せんを入れ、走り書きをした人間は最後にさまざまな思いを込めて、封筒の裏の糊しろをぺろりとなめるはずだ。儀式のように赤い舌をゆっくりと動かす。

通彦はかがんで乳房を吸っているので、麻也子はまるで女王様のようでもある。

ああ、なんて気持ちいいんだろうと麻也子は思う。久しぶりなので、セックスに没頭出来る。あまりにも強い欲望は、素直でおどけた顔をしている。その明るさで他の感情をしめ出してしまったようだ。途方もない単純さの中に麻也子はいて、このことは麻也子をどれほど安心させただろうか。

息をするたびに、呼吸に合わせて体の中心部が暖かくうるおっていく。ぽたぽたと下に落ちていきそうな量だ。麻也子はそのことを男に訴え、量のことで驚いてもらいたい。いつだってそのことは、男からの賞賛を受けてしかるべきことなのだ。しかし心配することはなかった。

通彦は乳房から顔を離さないまま、左手を麻也子の下着の中にすべり込ませる。麻也子の中心部は、歓迎のあまり身をぎゅっと縮め、通彦の指二本を帰さないようにする。きつすぎると通彦はささやいたが、もちろんその口調には嬉し気なところがある。

別居以来初めての逢い引きだったので、今夜の通彦もいくつかのことを省略しようとする。が、もちろん夫と同じ類の省略ではない。通彦は麻也子の下着を膝までおろし、立ったままで結合しようとしたのだ。が、麻也子が足を高く上げることが出来ず、すぐに彼は断念する。そのかわり、麻也子を床に倒して、正常位で挑んできた。通彦にも言いはしないが、麻也子はこの正常位というのがいちばん好きだ。男の体の重みを自分のように感じることが出来る。男の手もむやみに動かず、ずっと麻也子の肩におかれたままだ。セックスの中に、わずかでも清いものが生まれる瞬間というのは、この時しかない。性欲と精神とが手を取り合いながら発生する時があるが、その確率が高いのが正常位の時ではなかろうか。後背位や座位といったものからは「愛している」という言葉はなかなか出てこないものだ。

「愛してるよ」

フィニッシュ直後の荒い息をしながら通彦はささやく。

「麻也子、愛してるよ……」

私もそうよという代わりに、麻也子は大きく頷いてみせた。

「もう君に夢中なんだよ。全くみっともないぐらいメロメロなんだ」

嬉しいわ……と、麻也子はやっとかすれ声が出た。

が、いったんセックスが終わった後、麻也子を相手に愚痴をこぼすというのが、通彦の新しい習慣である。イタリアへはいつでも行ける手はずが整っているというのに、麻也子の離婚がはっきりしないためになかなか出発出来ないというのだ。

「もういいだろう、弁護士を頼んだっていい頃だよ」

「それは駄目、絶対に駄目よ」

麻也子は大きく手を振った。横臥《おうが》したまま手を振ると、まるで死人が別れを告げるようになる。

「いま、双方の親が出てきて、いろいろ話し合ってるわ。お互いに我儘な人たちだから、言いたいことを言って、どんどん話がこじれていくばっかりだけど……」

通彦がにやりと笑った。

「そりゃあ、願ってもないことじゃないか」

「嫌ね。そうでなくてもこじれているのに、あなたのことが知れたら、もっと大変なことになるわ。ねえ、お願いだからおとなしくしてて……。もうちょっとの辛抱だから」

「なんだか、新派の芝居みたいだぜ」

唐突にそんなことを言い出した。

「このあいだ衛星放送で観たんだ。女の方が泣いてて、もうちょっとの辛抱だからなんて言ってるんだ」

これは自分を責めているのだろうか、それとも皮肉というものだろうかと、麻也子は小さなため息をつく。が、男の口から次に出た言葉は、なんとも呑気なものであった。

「ねえ、麻也子、今度の週末に台湾へ行かないかい」

「台湾ですって」

「ああ、僕の大好きな——が」

何度聞いても憶えられないであろう外国人名を早口で言った。

「台北で指揮棒を振るんだよ。新聞社から飛行機のチケットを出すから、ちょっと聴いて来てくれないかって頼まれているんだ」

「でも、台湾ってわりと遠いでしょう」

「三時間ぐらいだよ。金曜日に発《た》って、日曜日に帰ってくればいい。あそこは何を食べてもうまいよ。すごくいい気晴らしになる」

「そうねえ……」

実家で好き放題のことをしているといっても、やはり両親の目はうっとうしい。最近はそれに水越家の悪口を言うのが習慣化していて、麻也子は両親、特に母親のエネルギーの凄さに目を見張る。どうして他人を憎むことにそれほどエネルギーを注ぐことが出来るのだろうか。心なしか、水越の姑の悪口を言う時、母の頭脳はいちばん冴え、舌はいきいきと回転を始める。そういうものからいっさい離れ、三日間だけ外国に行くというのは確かに魅力的なことであった。

「あ、いけない」

麻也子は声を挙げた。

「私、パスポートを置いてきたままにしてあるのよ。どこにあるかはわかってるわ。いつも切手と優待カードをしまっとくところよ」

「だったら、取りに行ってくればいいじゃないか」

そうもいかないのよ、と言いかけて麻也子は口をつぐんだ。詳しく説明するのはめんどうくさい。航一の留守を見計らって、四回にわたり荷物を取りに行った。ひとりで持てるほどの自分の身のまわりの品だけ運び出したのであるが、中にオーディオの小さなものがあった。さっそく姑の綾子から電話がかかってきた。息子の働いた金で買ったものを勝手に持ち出すなと言うのだ。

あの時は全くはらわたの煮えくりかえるような思いをしたものだ。麻也子は給料のほとんどを自分で使っていたが、それでも夫婦のルールに従い、毎月いくらかの金は出していたのだ。専業主婦とはわけが違う。その姑が掃除のために最近マンションに通ってきているという。あの女の嫌なエネルギーに満ちたところへ、出かけるのは何とも気が進まない。

「ねえ、イタリアへはいつ発てるのかわからないから、パーッと台湾で遊ばないか。ぜひそうしようぜ」

「そうね、本当にそうね……」

どうやったらあのマンションにうまく入り込めるのか、麻也子はそのことばかり考えている。

十日ぶりのわが家であった。いや、わが家という言葉は、この情況にふさわしくないかもしれない。別居中の夫が住んでいるところ、といった方が正解であろう。麻也子は何度かこっそりと帰ってきて、身のまわりのものを小出しに持ち出している。どれも紙袋に二つほどの分量だ。いずれトラックを横付けし、多くの荷物を持ち出す日が来るかもしれないが、それがいつになるかわからない。本当のことを言えば、夫と別れるでもなく、実家に住んで愛人と会うという今の生活が、麻也子はとても気に入っている。どうして離婚は罪にならず、重婚というのは罪になるのだろうとさえ思う。のらりくらりとやり過ごそうとする人間の心の曖昧さを、法律は絶対に認めないということだろうか。

が、そんな呑気なことを言っていられないのも事実で、麻也子は会うたびに通彦から責めたてられているのだ。恋人の性急さに、麻也子は驚き、そして怯《おび》えることもある。しかしそれはすべて、自分への愛情のなせるわざだと思えば、麻也子は許そうと思う。いつのまにか麻也子は、通彦との関係に「許す」という言葉を使っているのだ。

その日も会社に電話をかけてきた通彦は、旅行代理店に勤める友人に頼んで、いいツアーを見つけたと嬉し気に話す。そしてまだパスポートを取りに行っていない麻也子をなじり始めたのだ。

「どうしてそんな大切なものを家に置いてくるんだよ。まずまっ先に持ってくるもんじゃないか」

「だって仕方ないわ。まさかこんな時に海外旅行をするなんて考えもしなかったんですもの」

麻也子は少々の皮肉を込めて言ったつもりであったのだが、通彦にはまるで通じない。必ず今日、パスポートを取りに行くことを約束させられたのだ。

鍵を使ってオートロック式の扉を開けると、左手に郵便受けがある。その中を覗いて、郵便物が入っていないかどうかを確認する。中に何か入っていたら、部屋のテーブルに置いてやるのが麻也子のやり方だ。それによって「今日、ちょっと寄りました」と夫に示しているのである。

しかしいつもならダイレクトメールが一、二通入っている郵便受けが全くの空である。自分が出ていったとなると、郵便物さえ数が少なくなるのかと、麻也子は妙な心配をする。

エレベーターを降り、部屋のドアを開けた。奥の部屋からほのぐらい灯りが漏れていた。

「あの人ったら、また電気を消し忘れたんだわ」

航一は真暗な部屋で眠ることが出来ない。必ず小さな灯りを朝までつけておく。それはいいのだが、彼はよくこれを消し忘れるのだ。麻也子が留守にしている時など、何日かつけっぱなしにしていたこともあるはずだ。麻也子はその灯りの点《とも》っている方、寝室へと歩いていく。パスポートは、ベッドサイドの小引き出しの中に、使っていないカード類などと一緒に入っているはずだ。

一歩足を踏み入れたとたん、麻也子は悲鳴をあげそうになった。右側のベッドに男が横たわっていたからである。夫といっても久しぶりに見て、こうしてあおむけになっているとまるで他人だ。初めて見るような男に見える。しかしよく見ると、顎から喉仏にかけての線に見憶えがあった。それがめんどうくさそうに二、三度上下したかと思うと、航一は目を開けてこちらを見た。彼も麻也子のことをやはり初めて見る女のようにぼんやりと見る。

「なんで、いるの」

驚きと後ろめたさを必死で押し込めようとしたら、野太い声が出た。

「まだ七時にもなっていないのよ。どうしてこんな時間に家にいるの」

「余計なお世話だ」

航一はくるりと背を向ける。パジャマではなくシャツを着ているところをみると、ちょっとうたたねしていたのだろう。

「パスポートを取りに来たのよ」

麻也子は言った。言ったとたん、パスポートという言葉は、なんと凶々《まがまが》しいものだろうと息を呑む。パスポートまで持ち出すということは、こちらの最後通告と思われても仕方あるまい。

それには答えず、航一は咳《せき》をする。激しく上半身を揺らすような咳だ。

「風邪をひいているの」

麻也子は優しく夫に話しかけたが、後ろ向きの肩はぴくりとも動かない。

パスポートはすぐに見つかり、麻也子はそれをハンドバッグの中に放り込む。

「どうもお邪魔しました」

これは皮肉というよりも、純粋な嫌味というものだ。

「これさえ手に入ればいいの。長居をするつもりはなかったのよ」

「ちょっと待ってくれよ」

喉仏がさらに激しく上下する。咳はもうおさまった。

「ちょうどいいから、二人で話し合わないか」

麻也子の頭の中に、姑の綾子の姿が浮かび上がる。嘘つき。二人で話し合いといってても、あなたの姿には、〝おんぶおばけ〟のように、お母さんがぴったりくっついているのよ。そんなことも知らない私だと思っているの。

以前の麻也子であったら、こうした言葉を数多く夫にぶつけたかもしれぬが、今はそんな気になれない。言葉が相手に反応し、また言葉が返ってくる。それを分析し、理解し、答えようとする気力がはなからない。ただ少しでも早く、この場をやり過ごしたいという気持ちだけだ。それというのも、むっくりと起き上がった航一が、わずかの間にすっかりむさくなっているのである。おそらく風邪をひいて会社を早退しているらしいのだが、それを差し引いても、髪の乱れや頬の崩れが目立つ。夫の美醜を判断する目は、そのまま愛情と比例するものである。無防備に横たわっている夫を、何と美しい男かと思い、突然激しく抱きついた日々は、もう二度と来ることはないのだと麻也子は考えている。

「君のお母さんと、うちのお袋、もうこんがらがっちゃって仕様がないよ……」

航一は深くため息をつく。がそれは麻也子の同情を誘わない。姑の綾子が自分のことをどう罵《ののし》ったか、麻也子は母親から聞いている。あれほど自分のことを悪く言った女は、この男の母親なのだ。それなのにどうしてこう他人ごとのように言えるのだろう。

「だけど、いちばん大切なことは、オレたち二人の気持ちだと思わないか」

〝オレたち〟とか〝二人〟という言葉ほどこの場にそぐわないものはないのに、夫は気づかないのであろうか。麻也子は声に出さない疑問を、何度か夫の喉仏のあたりにぶつけている。するとますます夫は間抜けに思えた。

「おい、何か言えよ」

不意に航一は立ち上がった。怒りのために、すうっと背が高くなっている。

「お前、いったい何を考えているんだよ。いきなり家を出ていって、別れたいなんて本気なのか。そんなことが通ると思っているのかよッ。おい、何か言えよ」

航一から饐《す》えたようなにおいが漂ってきた。不思議だ。六年間暮らしてきてほとんど感じたことのない夫の体臭を、麻也子の鼻は敏感にとらえたのだ。

「何か言ってくれよ」

夫の発する言葉は、次第に熱に溶けるようにやわらかさを増していく。

「君は何が不満なのか、どういう風にしたいのか、僕はちゃんと話を聞くよ。やり直せるならやり直そうじゃないか。だって僕たちは――」

ここで航一はさらに一歩近づいてきた。

「僕たちは夫婦じゃないか」

いきなり腕をつかまれた。怒りのためではない。自分の胸にひき寄せるためだ。彼の体臭がいっそう強くなる。〝嫌だ〟。麻也子は反射的に身をそらしたが、航一はそれをとりあえずの拒否と判断したようである。麻也子の手首をひねり上げ、その隙に自分の上半身を密着させようとする。

いったい夫のどこに、これほどの力が潜んでいたのであろうか。

夫のどこに、これほど大きな欲望が潜んでいたのだろうか。

それをもし、過去の自分たちの生活の中で見せてくれることがあったら、こんな風な別れにはならなかったかもしれない。しかし今ではすべてのことが遅過ぎる。タイミングのはずれた力や欲望などは、もはや嫌悪の対象以外の何ものでもないのだ。

「放してったら！」

麻也子は大声で叫んだ。

「私はどんなことをしても、あなたとは別れるわ。そう、どんなことをしてもねッ」

男と海外旅行へ出かけるというのは、麻也子にとって実は初めての経験である。国内旅行は何回かある。もちろんハワイへのハネムーンというものを経験しているが、あれは男との海外旅行とはいえないであろう。姓の違う男と女が、飛行機のシートに並んで座り、同じ部屋に泊まる。それは確かに蠱惑《こわく》的な出来ごとである。ましてや危険な場所に立たされた麻也子にとって、かなりスリリングなことだ。

本来ならばこんな時に、男と海外旅行などに行くべきではない。そんなことはとうに承知している。が、麻也子の心の中では、たかが二泊の台湾ではないかという気持ち以上に、居直りという頑《かたくな》なものが、大きく頭をもたげていた。

どうせ夫と別れて、通彦と一緒になるのだもの、もう別に遠慮することもないわ。

居直りは、麻也子を当然のことながら強気で尊大な女にしている。自分を抱きすくめようとした夫をはらいのけたあの夜以来、麻也子を覆っていた皮膜がはらりと脱げ、そのかわりもっと固くて太々《ふてぶて》しいものが被《かぶ》さってきたような感じである。

もっとも麻也子は最後まで言い繕うことを忘れない。両親には大学時代の仲よしたちと台湾に出かけるとつじつまを合わせた。

「何もこんな時に行くことはないじゃないの」

母の恭子が本気で顔をしかめた。

「あっちから連絡があったら、いったい何て言えばいいの。あなたは呑気に海外旅行って答えればいいのかしら」

「連絡なんて来るはずがないってば」

麻也子は乱暴に答えた。このあいだの夜のことで航一の気持ちははっきりとわかった。夫はまだ自分に未練がたっぷりなのである。おそらく麻也子の側から強硬な態度に出ない限り、この膠着状態は果てしなく続くはずだ。

つまり麻也子は完璧に優位に立っているのだ。戦いの最中に、午睡をとることを許されるのは勝者の方であろう。ちょっとした小休止として、三日間だけ遊びに出かける、それがどうして悪いことなのだ。

本当のことを言えば、実家に帰ってからの日々に、麻也子はかなり退屈しているのでである。すべての食事や洗濯を母親がやってくれる生活は快適で、麻也子は一生このままでいいとさえ思ったほどだ。

しかし時間がたつにつれ、恭子は世間体というものを気にし始めた。

「麻也子ちゃん、おうちに帰ってきてるのね、おめでたなんじゃないのって、近所の人が言うのよ」

この静かな住宅地は、昔からの住民が多く、バブルの最中も庭を切り売りしたりしながらしぶとく居残っている。おっとりとした調子で、相手を探ってくるというのがこのあたりのやり方である。

「ふうん、それでママは何て答えたの」

「夫婦仲がうまくいってないなんて、恥ずかしくて言えないわ。娘の主人が長期の海外出張なんで、その間こちらに来ておりますって、皆には答えてるのよ」

「ふうん、見栄っぱりね」

だが母のこの見栄っぱりのところは、麻也子にも充分に受け継がれている。麻也子はまだ通彦のことを両親に打ち明けることが出来ない。これほど麻也子の胸をかきたてている恋であるが、親に話したとたん、単に薄汚ない浮気になってしまうかのようだ。

少女の頃からそうだった。恋というものは親の手にかかると、すべての甘い魔力を消されてしまうのである。ましてや通彦とのことは不倫という言葉で表現されるものだ。

不倫の恋を知られるのは、両親がいちばん最後でよい。どれほど言葉を尽くそうとも、どれほど泣いて訴えようとも、親というものは不倫を絶対に許さないに違いない。そのくらいのことは麻也子にもわかる。

しかしボストンバッグに荷物を詰め、リムジンバスで成田に向かう頃には、麻也子はすっかり晴れ晴れとした気分になっていた。海外旅行は久しぶりであったし、通彦と朝まで過ごすのも初めてである。このために麻也子は愛らしい形のネグリジェを買ったのだ。それは昔の寄宿学校で、少女たちが着ていたような形をしている。真白で長く、縦《たて》にずらっと並んだボタンが禁欲というものを表しているようだ。これをひとつひとつはずす通彦の指先のことを考え、麻也子はうっとりとする。いつだってそうだ。彼はひどくきまじめな顔で、麻也子の服のボタンやファスナーをはずすのである。

麻也子はその行為だけで、通彦と一緒に暮らしていこうと決心している。リムジンの窓際の席に座り、麻也子はさまざまな場面での指や舌のことを反芻《はんすう》している。彼の性器のことはあまり思い出さないようにしている。人前で奇妙なため息をつきたくないのと、そうしたものは現実にその時、じっくりと向き合えばいいからだ。女が男のことを思い出す時、浮かび上がらせるのは、やはり小さめのつつましいものでなくてはならなかった。

そして成田のカウンターの前で、通彦と出会った時、麻也子はどれほど嬉しかっただろう。団体専用カウンターのあたりでたむろしている人々の中で、彼はずばぬけて格好がよかった。ジーンズにウエストポーチという男たちの中で、彼は茶色のジャケットにチノパンツといういでたちだ。音楽会に行くためのスーツを専用の布ケースに入れ、肘《ひじ》にたらしているのも、いかにも海外旅行慣れしているという感じであった。

「早かったね」

彼はにっこりと微笑みかける。最初は綺麗過ぎると思った歯並びであるが、今は彼にとても似合っていると思う。

「僕が迎えに行ってもよかったんだけど……」

「いいえ、これでよかったのよ」

麻也子は言った。

「ここで待ち合わせた方がよかったの」

「さあ、チェック・インをしようよ。もう席は指定してあるから大丈夫だけど……」

通彦はごく当然のように、麻也子の腕に触れる。麻也子はこの三日間で、おそらく何十回、何百回と触れることになるだろう自分たちの肌について考える。全く、男と出かける海外旅行ほど、淫らなものがあるだろうか。成田の空港はそんな男と女で、ひしめいている。

初めての台湾は大層楽しかった。通彦が音楽会へ出かけている間、麻也子はショッピングに精を出し、あちこちのデパートを歩いた。日本と比べてもそう安いとはいえないが、こういうところへ来て普段よりも高価なブランド品を買うというのは、やはり海外旅行ではなくてはならない楽しみだ。

麻也子は買ったばかりのイタリア製のワンピースに身を包み、通彦と食事に出かけた。台北でも一、二を争うという高級レストランは、住宅地の中に唐突にある五層の中国風ビルだ。中も凝った中国風のつくりであるが、通彦が言うにはここにある調度品は国宝級のものがいくらでもあるということだ。

真白いリネンが敷かれたテーブルに着くと、ピンと張った肌の少年たちが一皿一皿料理を運んでくる。まるで日本の懐石のようだ。白磁の皿には軽くソテーしたアワビがふた切のっている。

「これ、あんまり中華料理っぽくないわ」

「ここの主人が考えた中華のヌーベル・キュイジーヌっていうところかな。台北ですごく流行っているんだよ」

美味いものを腹いっぱい食べた後は、ホテルの部屋で激しく抱き合う。通彦の友人が細かく気を遣ってくれ、行き帰りの飛行機こそ団体扱いであったが、ホテルの部屋はセミスイートといった広さである。

紫檀《したん》のダブルベッドは空おそろしくなるほどの大きさで、二人がどんな形や動きをしても足の先がはみ出すことはない。二人はお互い反対方向に顔を向けて重なる。麻也子が上で、通彦が下だ。通彦の性器はすっぽりと麻也子の口の中にあり、通彦の舌は奥深く麻也子の中に入っている。こうすると結合する場所は二カ所ということになり、一カ所だけの性交より快楽は二倍やってくるはずだ。それなのに最後にはもどかしさが残る。この体位は麻也子がとても気に入っているものなのであるが、男を満足させようとすると自分の心地よさに集中出来ない。相手の舌の巧みさに一瞬我を忘れると、男の性器への愛撫はおざなりになってしまう。どこまで自分を犠牲にし、どこまで相手に与えるか、まるでゲームのような駆け引きに麻也子は途中で音《ね》を上げてしまった。

しかしその夜の通彦は執拗である。

「麻也子、駄目だよ……」

麻也子の太ももの間からくぐもった声が聞こえてくる。そのとたん、やわらかく冷えた男の睾丸が麻也子の口元をぱたりとはたいた。

「もっと続けてくれなきゃ……」

わかったという証《あかし》に、麻也子はさらに舌を伸ばす。張り切った通彦のそれは麻也子の口にあまるほどである。しかも彼は奥へ奥へとめざそうとするから、麻也子の喉を強く刺激する。ああ、苦しいと麻也子は思う。何かのはずみで自分は嘔吐《おうと》してしまいそうだ。

快楽の裏返ったところどころに、苦痛が隠されているとは、今までほとんど気づかなかった。それを教えてくれたのは通彦である。彼はとても性急に、夫さえ求めなかったことを麻也子に強いる。彼のこの図々しさに、麻也子はむせそうになるのだが、これはやはり耐えなければならないことに違いない。

そう、麻也子はこの男によって、初めて耐えるということをしなくてはいけないらしいのだ。

やがて男は無言で、麻也子の姿勢を変える。ようやく解放された麻也子は四肢を伸ばし、その隙をつくようにして彼は麻也子の中に入ってくる。

「あ」

あまりにもその行為が素早かったので麻也子は声をあげる。

「もう、いってもいい」

男は問うてきたが、それはもちろん答えを求めている問いではない。放出する際の合図なだけだ。

そして麻也子はとり残される。全く不思議だ。これほど長くからみ合っていたのに、とり残されたのは初めてである。

台湾から帰った次の日、月曜日まで体のあちこちにけだるさが残っていた。ベッドにいる最中は、いくつかのいき違いはあったものの、記憶となるとすべて単純なバラ色に彩られる。左の乳房の上あたりや、太ももについた小さな痣《あざ》は、甘やかな時の記念である。

とはいうものの、二泊三日の台湾旅行というのはOLの麻也子にとって確かにきつい。火曜日の夕方、麻也子は久しぶりにエステティック・サロンへ行き、全身を軽くマッサージしてもらったほどである。

家に着くと、玄関に父の靴を見つけた。それはこの家にとって非常に珍しいことだ。いくら従業員数十人の子会社とはいえ、社長に就任して以来、父の帰りは常に遅かったからだ。週末も、土、日のどちらかはゴルフに出かけてしまい、夕食の時に顔を合わすぐらいである。

「麻也ちゃん、ちょっといらっしゃい」

扉を開けて出てきた母の恭子が、なぜかおごそかに言った。十年以上も飼われている茶と白のシーズー犬が彼女の足元にからみついたが、それを抱き上げようともしない。

リビングのソファには、普段着に着替えた父が座っている。麻也子の姿を見ると、それまで読んでいた夕刊を下に置き、老眼鏡をはずした。麻也子は嫌な予感がする。

「麻也ちゃん……」

恭子がさまざまな感情を押し殺すと、こんな風になるのだというような、のっぺりとした声を出す。

「ねえ、どうして私たちにちゃんと話してくれなかったのかしらね」

「えっ、何のこと」

三十三歳の麻也子は、十五の少女のような声でしらばくれようとした。

「あなたにつき合っている別の男の人がいるっていうことですよ。あのね、あちらのおうちじゃ、興信所頼んでらしたっていうのよ。私、なんて卑劣なことをする人たちかしらって気絶しそうになったけど、報告聞いてもっとびっくりしたわ。あなた、このあいだの台湾は、男の人と一緒だったのね」

恭子の目がうるんでいて、麻也子は混乱してしまう。麻也子の知っている限り、母は道徳とか倫理といったものに無頓着だ。そのかわり、世間体といったものにはこだわりをみせるが、嘘をついても当面のつじつまを合わせておけば、それはそれでよいという考え方である。

現についこのあいだも、

「離婚なんて、ざらにある話なんだから、そう怖がったり、卑屈になることもないわよねえ。麻也子もあの嫌な姑と、これから先二十年もつき合うのも可哀相だものね。いっそのこと、ひとりになった方がずっとさばさばしていいかもしれない。やり直すんだとしたら若い方がいいわよねえ……」

愚痴ともつかぬ調子でくどくどと言っていたものである。

その恭子が、いまじっと娘を見据え、

「男の人と一緒だったんでしょう」

と冷たく言いはなつ。母親というのは、どうやら現実を目の前に差し出されると、多くの価値観が狂ってしまうものらしい。

「私は今まで生きてきて、こんなに恥をかいたことはないの。あちらのお姑《かあ》さんは、それこそ鬼の首を取ったような騒ぎよ。嫁がどんなにふしだらかって、わめいてる……ねえ、正直に言って欲しいの。相手の男の人とはどういう関係なの」

「どういう関係って……」

麻也子は言い澱《よど》んだが、それは決して良心ゆえのことではない。この場に不似合いなほど、照れてしまったのである。この照れが簡略した言葉を言わせる。

「つき合ってるわ。結婚したいと思ってるの」

恭子は芝居がかったため息をつく。娘がそう答えることをまるで予感していたかのようだ。

「それがどんなに大変なことかわかってるの」

「わかってるわ」

「あっちから慰謝料を貰えなくなるのよ」

「お金なんか、別にどうだっていいわ。さっぱり綺麗に別れたいだけよ」

「馬鹿なことを言うんじゃない」

　ここで父が初めて声を出した。ゴルフ焼けしたこめかみのあたりに、老いをはっきりと表す皺《しわ》が寄っている。それが呼吸と一緒に上下した。

「金の問題じゃないんだ。慰謝料っていうのはな、こっちに落ち度がないってことの証拠なんだ。だから百万でも二百万でも女の方が貰わなきゃいけないんだ」

　この男親の実務的ともいえる意見は、麻也子を緊張させた。いよいよものごとが大詰めになってきたという感じなのだ。

「台湾に行った男だが、そんな男がどうして信用出来る。人の女房と一緒に旅行するような男は最低じゃないか」

「あちらは仕事で行ったのよ。私はそれに従《つ》いていっただけ」

「お仕事は何をしている人なの」

「音楽評論をしている人よ」

「ああ……」

　今度は父と母が同時に声をあげた。

「そんな男、食べていけるの」

「ちゃんとやってる人よ」

麻也子はここでやっとはっきりと顔を上げる。もう自分は外泊を問い詰められている十五歳の少女ではないことに気づいたのだ。このめんどうくさい裁判を途中でやめさせるためには、自分の年齢を両親の前で誇示する必要があった。

「もう私、決めたのよ。このまま四十になるのは嫌なの。だから三十三歳の今、決心してやり直してみたいの」

ところが父親は苦笑いを返してきた。

「お前はいい年して、まだそんな子どもみたいなことを言ってるのか」

「子どもでも何でもいい。もう歯車はまわり出してるんだったら、そのとおりにするわ。最初に動かしたのは私なんだから」

「もう手助けはしないぞ」

「わかってるわ」

父と娘は睨《にら》み合う。父の目の奥にやりきれなさが燃えているのを見る。それは夫や恋人といった男たちの嫉妬の色ととてもよく似ている。

「麻也ちゃん……」

恭子が悲鳴のような声をあげる。

「その人、そんなに大切なの。どうしても別れること、出来ないのね」

「出来ないわ」

麻也子は言う。

「だって愛してるんだもの」

親の前で「愛してる」という言葉を発したのはこれが最初で、おそらく最後になるだろうと麻也子は思った。


航一と正式な離婚が決まってからというもの、麻也子はうつらうつらと二カ月を過ごした。話には聞いていたが、離婚に費やされるエネルギーと精神力たるや膨大なもので、麻也子はそれにすっかり振りまわされてしまった。

麻也子と通彦は今も日本にいる。息子の大スポンサーであった通彦の母親は、彼が不倫の末に人妻と結ばれることに激怒した。ボローニャの大学に研究員として入る手はずは既に整っていたのに、母親はいっさい援助しないと言いきったのだ。

新しく姑となったこの女に、麻也子は生涯親しむことはないだろうと思う。航一の母親も我儘で嫌な女であったが、通彦の母はこれに下品という要素が加わる。長年、女手ひとつで大手の家政婦紹介所を切りまわしていたという彼女は、息子とは全く似ていない。そう太っているというわけではないのに、原色系の服を着ているのと声が大きいのとで、相手に威圧感を与える。彼女は一方的に自分の息子がどれほどのダメージを受けたのかまくし立てたのである。

「あなたは嫌な亭主と別れて、新しい男と新しい生活が出来る。だけど新しい男に選ばれたうちの息子は、いったいどうなるのかしらね」

通彦とのことが公になったため、当然のことながら麻也子は会社を辞めなくてはならなかった。契約社員だったために退職金など出るはずもないのだが、驚いたことに会長が祝いの一封をくれた。

「人間っていうのは面白いもんだなあ。もしわしがあの時音楽会に行っていたら、水越君もずうっといい奥さんでいられたのになあ……」

という言葉に麻也子は首を横に振った。たとえ会長の代わりに音楽会へ行き、通彦と知り合ったからといっても、彼は運命の司祭ではない。もし通彦と出会わなくても、自分は遅かれ早かれ、夫とは別れていたはずだ。すべての決定権はいつも麻也子にあるのだ。

そしていつのまにかまた春が訪れようとしていた。麻也子が通彦と出会って二年目の春だ。麻也子は姉の留美子の紹介で、小さな出版社でアルバイトをしている。出版社といっても、地味な学術本をつくっている会社で、麻也子の仕事もコピーをとったり茶を出したりという仕事だ。麻也子はこの何日か大層機嫌が悪い。それは前夫の航一が再婚したという話を聞いたからだ。今度の女は二十五歳という若さで、航一と同じ会社に勤めているという。ということは、実は二人の仲はずっと以前から始まっていたのではないか。離婚でもめている最中、航一はある時点から、急に何かふっきれたように降りてしまったのであるが、それは新しい女が原因なのではないか。そうだ、そうに決まっている、あれほど怒り狂っていた航一が、彼の母親も驚くほどあっさりと、離婚届に印を押したのだ。それは新しい女と、結婚の約束が出来たからに違いない、そうだ、そうに決まっている。

そして麻也子は、

「自分だけが損をしている」

という例の懐かしい感情にいきあたるのである。我儘で嫉妬深い恋人は、そのまま我儘で嫉妬深い夫となった。我儘で嫉妬深い恋人というのは可愛いものだが、夫となるとそうはいかない。ましてや通彦は、ほとんどが家にいるような仕事である。麻也子の行動をいちいちチェックし、自分の要求を通そうとするのだ。

あるオーディオ会社とひとつ顧問契約をしたものの、通彦の主な収入源は、時々新聞や雑誌に書く原稿料である。マンションが買取りだから何とかなるものの、麻也子のアルバイトの給料と足して、やっと普通の生活が出来るといったところだ。航一と暮らしていた頃は、自分の給料はほとんど洋服やアクセサリーに遣っていた麻也子であるが、もうそんなことは言っていられない。実家の母親から定期的に貰っていた小遣いも途絶えて、麻也子は深いため息をつく。

「やっぱり私だけが損をしている」

しかし愚痴をいっさい友人に言えないのは、麻也子がいつのまにか仲間うちで「恋愛を貫いた女」ということで、伝説のようになっているからである。不倫や離婚はよく聞く話であるが、不倫のために夫と離婚した例はまだ少ないのだ。

気持ちよい初秋の夜であった。麻也子はホテルのラウンジで待ち合わせをしている。午後七時をまわったところで、あたりはそう若くないビジネスマンの二人連れが多い。彼らの中にはちらりと視線を麻也子の方に向ける者がいる。

こういうところで連れを待っている女というのは、しばらく男たちの好奇の的になるのだ。麻也子はごく自然に足を組み替える。三十五歳になったけれど、麻也子の体の線は少しも崩れてはいない。最近は顔だけでなく、全身のエステティック・サロンに通うようにしているのだ。通彦はどうしてそんなことまでするのかと不愉快そうだが、麻也子はそこで施術されるひとときが心地よくてたまらぬ。かすかにすり足で近づいてくる老いというものを、香油ややさしい動きのマッサージが、確実に追い払ってくれそうな気がするからだ。

向こうから男がやってくる。二年ぶりに見る野村は少し太ったような気がするが、それがだらしない感じではない。おそらく以前よりもゴルフやジムに精出しているのだろう。男盛りの彼の体は、野心や精液といったものがぴっちり詰まっていそうである。

「驚いちゃったよ」

どさりと座るなり彼は言った。

「麻也ちゃんから電話貰うなんて、思ってもみなかったよ」

「だって、なんだか急に会いたくなったの」

言葉があけすけな分、表情は決して媚びたりしない。こういう言葉は、クールな表情で言うほど効果があるのだ。

「野村さんに、いろいろ相談にのってもらいたいこともあったし……」

「僕なんかに相談することないでしょう。麻也ちゃんの武勇伝といおうか、ラブ・ストーリーは聞いたよ。随分思いきったことをするなあってびっくりしたと同時にさあ……」

ここで顔を近づけてくる。

「僕と重なってたのかなあーなんて、がっかりしちゃったりして」

「そんなことないわ、彼と知り合ったのは、野村さんの後よ」

「でも麻也ちゃんは、若い男の魅力には負けちゃったんだな。やっぱりおじさんは駄目か」

最後の「駄目か」という言葉に、彼はさまざまなメッセージを込めていて、そのためにひどく低い性的な声になった。それはそのまま「今夜は駄目か」ととらえられないこともない。

「そんなことないのよ。だけど野村さんって、奥さんも子どもさんもいたし、最初からそんなことがあり得るはずないと思ってつき合ってたから」

「全く麻也ちゃんてうまいよな。この期《ご》に及んでも、おじさんを喜ばせるようなこと、言ってくれちゃって」

ひとしきり笑うふりをした後、彼は何を食べたいかと問うてきた。

「時間がないんだったら、地下《した》の鮨屋にでも行こうか。今日はどうなの、時間」

「遅くなっても構わないわ。こんなこと、めったにないもの。学生時代の友人に会うって出てきたの」

「今度のダンナは、どうやら嫉妬深いらしいな」

野村はこの「今度のダンナ」という言葉が気に入ったらしい。結局ホテルの中の鮨屋に行くことになったのであるが、この言葉を連発するのだ。どうやら彼なりの復讐というものらしい。

「どう、今度のダンナとうまくいってるの。聞くだけ野暮だよな。だって大恋愛の末の結婚なんだもんな」

「野村さんだから言うけどね……」

麻也子はちょっと日本酒に酔い、相手がいちばん好きそうな言葉をささやく。

「私、二回結婚してやっとわかった。男の人ってそんなに違わないもんだって」

「こりゃあーいい」

野村は本当に楽し気に笑い、目の前に置かれたシンコの握りに手を伸ばす。この時期だけに出まわるこのネタは、彼の大好物なのだ。

「だけどそういう風に言われれば、男としちゃちょっと淋しいかな」

カウンターの中の職人が、のれんをかきわけて奥に入っていった隙に、彼は肝心なことを早口で尋ねてくる。

「それって、セックスもそんなに違いがないってこと」

やだと、麻也子はカウンターの下で身をくねらせる。そのはずみで、野村の肘が麻也子の脇腹にあたった。いちばんやわらかく怠惰な肉がついているあたりだ。

「野村さんは特別よ。やっぱり他の人とは全然違うわ」

「そうかな、そんなこと言われると、本気にしちゃうよ」

野村はシンコをつまんだ手で、素早く麻也子の手を握った。

「また、麻也ちゃんと、ああいうことしたい、なんて言っちゃったりして」

麻也子は黙っている。怒ったり、手をふりはらったりしないことが何よりの承諾である。そして野村はよくそのことを知り抜いていた。

二カ月後、麻也子はホテルの部屋の中にいる。一緒にシャワーを浴びようという野村の誘いを断わり、麻也子はひとりでバスルームへ向かった。もちろん石鹸は使わない。航一とは比べものにならぬほど鋭敏な嗅覚を持った通彦に問い詰められてしまうだろう。しかし彼にしても、新婚一年と二カ月の妻が、こんなところに男といるとは思わないであろう。

三十五歳の麻也子の胸はうっすらと脂肪がのり、臍《へそ》が丸味を帯びている。しかしこの内部の空虚さが麻也子を悩ませているのだ。

ある日麻也子は突然子どもをつくることを思い立った。それはまさに思い立ったといっていい性急なものであった。

野村と再び密会をするようになり、四回めのセックスを経験した時のことだ。麻也子は飽食の後のような満足をおぼえ、しばらくベッドに横たわっていた。しかしすぐに嘔吐のように何か大きなものが体を走っていった。これは後悔かと訝《いぶか》しく思い、いや違う、空しさというものなのだと麻也子はそら怖しくなる。夫と別れ、好きな男と結婚した自分は、気に入った男とたまに寝るという楽しみさえ手に入れた。けれどもやはりこの考えを捨て去ることは出来ぬ。

私だけがすごく損をしているらしい。

やがて麻也子は一度も経験していないこと、子どもをつくることに思いあたる。それは麻也子の最後の賭けだ。多くの女たちが最後に向かう確かな土地、それが子どものすべすべとした頰だというならば、自分もそれを味わってみたい。

偶然にも通彦と野村とは同じ血液型である。だから、麻也子の子宮に早く辿りつく精子ならばどちらでもよいのだ。麻也子は一刻も早く子どもが欲しくてたまらないのだから。

麻也子は毎食後に飲む排卵促進剤を、生ぬるいホテルの蛇口からの水で飲み下した。バスローブをまとってドアを開ける。ベッドの脇のソファで、野村はビールを飲んでいるところであった。

「今日はこのままして」

麻也子は男に甘たるく命令する。

「今日は大丈夫な日だから」

野村は相好を崩した。年のせいか、着装に手間どると萎えてしまうというのが、最近の彼の悩みであったからだ。

彼はビールの缶を置き、律儀な足取りでベッドに向かってくる。

掛け布団をはねのけながら、左半分に横たわる。そして言った。

「ねえ、麻也ちゃん、どうしたの、そんなにおっかない顔して」

「えっ、どうしてそんなこと言うの」

「今日ばっかりじゃないな、僕は君の笑った顔、あんまり見たことないよ。まあ、麻也ちゃんはそれが魅力だけどさ」

「だって……」

麻也子は右側からベッドに入っていく。男は既に腰に巻いたタオルをはずしていたから、意外に白い太ももが目に入ってくる。

「楽しいことなんかあんまりないんだもの。最初楽しくてもいつだってすぐにつまらなくなってしまう。いつもこんな繰り返しなの」

最後の言葉は、男に聞こえぬようにつぶやいた。

単行本　一九九六年十月　文藝春秋刊

文春文庫

不《ふ》機《き》嫌《げん》な果《か》実《じつ》

定価はカバーに表示してあります

2001年1月10日　第1刷
2024年1月25日　第25刷

著　者　林《はやし》　真《ま》理《り》子《こ》
発行者　大沼貴之
発行所　株式会社　文藝春秋

東京都千代田区紀尾井町 3-23　〒102-8008
TEL　03・3265・1211(代)
文藝春秋ホームページ　http://www.bunshun.co.jp

落丁、乱丁本は、お手数ですが小社製作部宛お送り下さい。送料小社負担でお取替致します。

印刷・TOPPAN　製本・加藤製本
Printed in Japan
ISBN978-4-16-747621-2

（　）内は解説者。品切の節はご容赦下さい。

林 真理子
下流の宴
中流家庭の主婦・由美子の悩みは、高校中退した息子が連れてきた下品な娘。「うちは〝下流〟になるの!?」現代の格差と人間模様を赤裸々に描ききった傑作長編。（桐野夏生）
は-3-39

林 真理子
最高のオバハン
中島ハルコの恋愛相談室
中島ハルコ、52歳。金持ちなのにドケチで口の悪さは天下一品。嫌われても仕方がないほど自分勝手な性格なのに、なぜか悩み事を抱えた人間が寄ってくる。痛快エンタテインメント！
は-3-51

林 真理子
最高のオバハン
中島ハルコはまだ懲りてない！

金持ちなのにドケチな女社長・中島ハルコに持ち込まれる相談事は、財閥御曹司の肥満、医学部を辞めた息子の進路、夫の浮気など。悩める子羊たちにどんな手を差しのべるのか？

は-3-56

林 真理子
ペット・ショップ・ストーリー
ペットショップのオーナー・圭子は大の噂好き。ワケあり女の「私」は、圭子のもたらす情報から、恐ろしい現実を突きつけられて……。女が本当に怖くなる11の物語。（東村アキコ）
は-3-55

林 真理子
ウェイティング・バー
結婚式後、花婿が、披露宴の司会の美女と、バーで花嫁を待つ。親し気なふたりの会話はやがて、過去の秘密に触れて……男女の恋愛に潜む恐怖を描く、10の傑作短篇集。（酒井順子）
は-3-58

林 真理子
野ばら
宝塚の娘役・千花は歌舞伎界の御曹子との恋に、親友の萌は年上の映画評論家との不倫に溺れている。上流社会を舞台に、幸福の絶頂とその翳りを描き切った、傑作恋愛長編。（酒井順子）
は-3-59

林 真理子
トライアングル・ビーチ
カメラマンの恋人を繋ぎとめるため、ロケ先のホテルのベッドで写真を撮らせるスタイリスト。隣は若いアシスタントの部屋で……（表題作）。著者初期の官能的短篇集。（内藤麻里子）
は-3-61

（　）内は解説者。品切の節はご容赦下さい。

赤川次郎
赤川次郎クラシックス
幽霊列車

山間の温泉町へ向う列車から八人の乗客が蒸発。中年警部・宇野は推理マニアの女子大生・永井夕子と謎を追う――。オール讀物推理小説新人賞受賞作を含む記念碑的作品集。（山前　譲）

あ-1-39

有吉佐和子
青い壺

無名の陶芸家が生んだ青磁の壺が売られ贈られ盗まれ、十余年後に作者と再会した時――。壺が映し出した人間の有為転変を鮮やかに描き出した有吉文学の名作、復刊！（平松洋子）

あ-3-5

芥川龍之介
羅生門《らしょうもん》 蜘蛛《くも》の糸《いと》 杜子春《とし\u3057ゅん》 外十八篇

昭和、平成とあまたの作家が登場したが、この天才を越えた者がいただろうか？　近代知性の極に荒廃を見た作家の、光芒を放つ珠玉集。日本人の心の遺産「現代日本文学館」その二。

あ-29-1

浅田次郎 編
見上げれば星は天に満ちて
心に残る物語――日本文学秀作選

鷗外、谷崎、八雲、井上靖、梅崎春生、山本周五郎……。物語はあらゆる日常の苦しみを忘れさせるほど、面白くなければならないという浅田次郎氏が厳選した十三篇。輝く物語をお届けする。

あ-39-5

朝井リョウ
武道館

【正しい選択】なんて、この世にない。「武道館ライブ」という合言葉のもとに活動する少女たちが最終的に〝自分の頭で〟選んだ道とは――。大きな夢に向かう姿を描く。（つんく♂）

あ-68-2

朝井リョウ
ままならないから私とあなた

平凡だが心優しい雪子の友人、薫は天才少女と呼ばれる。成長に従い、二人の価値観は次第に離れていき、決定的な対立が訪れるが……。一章分加筆の表題作ほか一篇収録。（小出祐介）

あ-68-3

阿部和重
オーガ（ニ）ズム（上下）

ある夜、瀕死の男が阿部和重の自宅に転がり込んだ。その男の正体はCIAケースオフィサー。核テロの陰謀を阻止すべく、作家たちは新都・神町へ。破格のロードノベル！（柳楽　馨）

あ-72-2

（　）内は解説者。品切の節はご容赦下さい。

彩瀬まる
くちなし
別れた男の片腕と暮らす女。運命で結ばれた恋人同士に見える花。幻想的な世界がリアルに浮かび上がる繊細で鮮烈な短篇集。直木賞候補作・第五回高校生直木賞受賞作。（千早　茜）
あ-82-1

朝比奈あすか
人間タワー
毎年6年生が挑んできた運動会の花形「人間タワー」。その是非をめぐり、教師・児童・親が繰り広げるノンストップ群像劇。無数の思惑が交錯し、胸を打つ結末が訪れる！（宮崎吾朗）
あ-84-1

五木寛之
蒼ざめた馬を見よ
ソ連の作家が書いた体制批判の小説を巡る恐るべき陰謀。直木賞受賞の表題作を初め、「赤い広場の女」「バルカンの星の下に」「夜の斧」など初期の傑作全五篇を収録した短篇集。（山内亮史）
い-1-33

井上　靖
おろしや国酔夢譚
船が難破し、アリューシャン列島に漂着した光太夫ら。厳寒のシベリアを渡り、ロシア皇帝に謁見、十年の月日の後に帰国できたのは、ただのふたりだけ。映画化された傑作。（江藤　淳）
い-2-31

井上ひさし
四十一番の少年
辛い境遇から這い上がろうと焦る少年が恐ろしい事件を招く表題作ほか、養護施設で暮らす子供の切ない夢と残酷な現実が胸に迫る珠玉の三篇。自伝的名作。（百目鬼恭三郎・長部日出雄）
い-3-30

色川武大
怪しい来客簿
日常生活の狭間にかいま見る妖しの世界——独自の感性と性癖、幻想が醸しだす類いなき宇宙を清冽な文体で描きだした、泉鏡花文学賞受賞の世評高き連作短篇集。（長部日出雄）
い-9-4

色川武大
離婚
納得ずくで離婚したのに、なぜか元女房のアパートに住み着いてしまって。男と女の不思議な愛と倦怠の世界を、味わい深い筆致とほろ苦いユーモアで描く第79回直木賞受賞作。（尾崎秀樹）
い-9-7

（　）内は解説者。品切の節はご容赦下さい。

伊集院　静
受け月
願いごとがこぼれずに叶う月か……。高校野球で鬼監督と呼ばれた男が、引退の日、空を見上げていた。表題作他、選考委員に絶賛された「切子皿」など全七篇。直木賞受賞作。（長部日出雄）
い-26-4

伊集院　静
羊の目
男の名はサイレントマン。神に祈りを捧げる殺人者——。戦後の闇社会を震撼させたヤクザの、哀しくも一途な生涯を描き、なお清々しい余韻を残す長篇大河小説。（西木正明）
い-26-15

池澤夏樹
南の島のティオ　増補版
ときどき不思議なことが起きる南の島で、つつましくも心豊かに成長する少年ティオ。小学館文学賞を受賞した連作短篇集に「海の向こうに帰った兵士たち」を加えた増補版。（神沢利子）
い-30-2

絲山《いとやま》秋子
沖で待つ
同期入社の太っちゃんが死んだ。私は約束を果たすべく、彼の部屋にしのびこむ。恋愛ではない男女の友情と信頼を描く芥川賞受賞の表題作。「勤労感謝の日」ほか一篇を併録。（夏川けい子）
い-62-2

井上荒野
あなたならどうする
「ジョニィへの伝言」「時の過ぎゆくままに」「東京砂漠」——昭和の歌謡曲の詞にインスパイアされた、視点の鋭さが冴える九篇。恋も愛も裏切りも、全てがここにある。（江國香織）
い-67-6

伊坂幸太郎
死神の精度
俺が仕事をするといつも降るんだ——七日間の調査の後その人間の生死を決める死神たちは音楽を愛し大抵は死を選ぶ。クールでちょっとズレてる死神が見た六つの人生。（沼野充義）
い-70-1

伊坂幸太郎
死神の浮力
娘を殺された山野辺夫妻は、無罪判決を受けた犯人への復讐を計画していた。そこへ人間の死の可否を判定する〝死神〟の千葉がやってきて、彼らと共に犯人を追うが——。（円堂都司昭）
い-70-2

（　）内は解説者。品切の節はご容赦下さい。

阿部和重・伊坂幸太郎
キャプテンサンダーボルト（上下）
大陰謀に巻き込まれた小学校以来の友人コンビ。不死身のテロリストと警察から逃げきり、世界を救え！　人気作家二人がタッグを組んで生まれた徹夜必至のエンタメ大作。（佐々木　敦）
い-70-51

伊吹有喜
雲を紡ぐ
不登校になった高校2年の美緒は、盛岡の祖父の元へ向う。羊毛を手仕事で染め紡ぐ作業を手伝ううち内面に変化が訪れる。親子三代「心の糸」の物語。スピンオフ短編収録。（北上次郎）
い-102-2

岩井俊二
番犬は庭を守る
原発が爆発し臨界状態となった国で生れたウマソー。成長しても生殖器が大きくならない彼に次々襲いかかる不運、悲劇、やがて見出す希望の光。無類に面白い傑作長篇。（金原瑞人）
い-103-3

内田春菊
ダンシング・マザー
戦前に久留米で生まれた逸子。華麗な衣装を縫い上げて、ダンスホールの華になるが、結婚を機に運命は暗転。情夫の娘への性虐待を黙認するに至った女の悲しき半生の物語。（内田紅甘）
う-6-17

内田英治
ミッドナイトスワン
トランスジェンダーの凪沙は、育児放棄にあっていた少女・一果を預かることになる。孤独に生きてきた凪沙に、次第に母性が芽生えていく。切なくも美しい現代の愛を描く、奇跡の物語。
う-37-1

江國香織
赤い長靴
二人なのに一人ぼっち。江國マジックが描き尽くす結婚という不思議な風景。何かが起こる予感をはらみつつ、怖いほど美しい十四の物語が展開する。絶品の連作短篇小説集。（青木淳悟）
え-10-1

江國香織・小川洋子・川上弘美・桐野夏生
小池真理子・髙樹のぶ子・髙村　薫・林　真理子
甘い罠
8つの短篇小説集
江國香織、小川洋子、川上弘美、桐野夏生、小池真理子、髙樹のぶ子、髙村薫、林真理子という当代一の作家たちの逸品だけを収めたアンソロジー。とてつもなく甘美で、けっこう怖い。
え-10-2